FAIRE L'AMOUR

DU MÊME AUTEUR

JEAN-PHILIPPE TOUSSAINT

FAIRE L'AMOUR

LES ÉDITIONS DE MINUIT

© 2002 by LES ÉDITIONS DE MINUIT
7, rue Bernard-Palissy, 75006 Paris

ISBN 2-7073-1582-6

Hiver

I

J'avais fait remplir un flacon d'acide chlorhydrique, et je le gardais sur moi en permanence, avec l'idée de le jeter un jour à la gueule
de quelqu'un. Il me suffirait d'ouvrir le flacon,
un flacon de verre coloré qui avait contenu
auparavant de l'eau oxygénée, de viser les yeux
et de m'enfuir. Je me sentais curieusement
apaisé depuis que je m'étais procuré ce flacon
de liquide ambré et corrosif, qui pimentait mes
heures et acérait mes pensées. Mais Marie se
demandait, avec une inquiétude peut-être jus-
tifiée, si ce n'était pas dans mes yeux à moi,
dans mon propre regard, que cet acide finirait.
Ou dans sa gueule à elle, dans son visage en
pleurs depuis tant de semaines. Non, je ne crois

11

pas, lui disais-je avec un gentil sourire de déné-
gation. Non, je ne crois pas, Marie, et, de la
main, sans la quitter des yeux, je caressais doucement le galbe du flacon dans la poche de ma
veste.

Avant même qu'on s'embrasse pour la première fois, Marie s'était mise à pleurer. C'était
dans un taxi, il y a sept ans et plus, elle était
assise à côté de moi dans la pénombre du taxi,
le visage en pleurs, que traversaient les ombres
fuyantes des quais de la Seine et les reflets jau-
nes et blancs des phares des voitures que nous
croisions. Nous ne nous étions pas encore
embrassés à ce moment-là, je ne lui avais pas
encore pris la main, je ne lui avais pas fait la
moindre déclaration d'amour — mais ne lui
ai-je jamais fait de déclaration d'amour ? — et
je la regardais, ému, désemparé, de la voir pleurer ainsi à mes côtés.

La même scène s'est reproduite à Tokyo il y
a quelques semaines, mais nous nous séparions
alors pour toujours. Nous ne disions rien dans
ce taxi qui nous reconduisait au grand hôtel de

Shinjuku où nous étions arrivés le matin même, et Marie pleurait en silence à côté de moi, elle reniflait et hoquetait doucement contre mon épaule, elle essuyait ses larmes à grands gestes brouillons du revers de ses doigts, de lourdes larmes de tristesse qui l'enlaidissaient et faisaient couler le maquillage de ses cils, alors qu'il y a sept ans, lors de notre première rencontre, c'étaient de pures larmes de joie, légères comme de l'écume, qui coulaient en apesanteur sur ses joues. Le taxi était surchauffé et Marie avait trop chaud maintenant, elle se sentait mal, elle finit par enlever son grand manteau de cuir noir, difficilement, en se contorsionnant à côté de moi sur la banquette arrière du taxi, grimaçant et paraissant m'en vouloir, alors que je n'y étais manifestement pour rien, merde, s'il faisait aussi chaud dans ce taxi, elle n'avait qu'à se plaindre au chauffeur, il y avait son nom et sa photo d'identité en évidence sur le tableau de bord. Elle me repoussa pour déposer le manteau entre nous sur la banquette, enleva son pull, qu'elle roula en boule à côté d'elle. Elle n'avait plus qu'un chemisier blanc déjanté et froissé qui s'ouvrait sur son soutien-gorge noir et sortait

13

légèrement de la ceinture de son pantalon. Nous ne disions rien dans le taxi, et l'autoradio diffusait en continu dans la pénombre des chansons japonaises énigmatiques et enjouées.

Le taxi nous déposa devant l'entrée de l'hôtel. A Paris, sept ans plus tôt, j'avais proposé à Marie d'aller boire un verre quelque part dans un endroit encore ouvert près de la Bastille, rue de Lappe, ou rue de la Roquette, ou rue Amelot, rue du Pas-de-la-Mule, je ne sais plus. Nous avions marché longtemps dans la nuit, avions erré dans le quartier de café en café, de rue en rue pour rejoindre la Seine à l'île Saint-Louis. Nous ne nous étions pas embrassés tout de suite cette nuit-là. Non, pas tout de suite. Mais qui n'aime prolonger ce moment délicieux qui précède le premier baiser, quand deux êtres qui ressentent l'un pour l'autre quelque inclination amoureuse ont déjà tacitement décidé de s'embrasser, que leurs yeux le savent, leurs sourires le devinent, que leurs lèvres et leurs mains le pressentent, mais qu'ils diffèrent encore le moment d'effleurer tendrement leurs bouches pour la première fois ?

A Tokyo, nous étions remontés immédiatement dans notre chambre, nous avions traversé
sans un mot le grand hall désert aux lustres de
cristal illuminés, trio de lustres éblouissants qui
se mirent à se balancer doucement sous nos
yeux au moment même où nous rentrions à
l'hôtel, les lustres se mettant à osciller sur eux-
mêmes comme des cloches de cathédrale
s'ébrouant lentement sur notre passage dans un
cliquetis de verre et de cristal qui accompagnait
l'irrésistible grondement de détresse de la
matière qui faisait trembler le sol et vibrer les
murs, puis, l'onde passée, la lumière ayant
vacillé au plafond en plongeant un instant
l'hôtel dans l'obscurité, les lustres, encore en
mouvement, se rallumèrent en plusieurs temps
dans le hall et se remirent en place dans le fris-
sonnement à rebours de milliers de paillettes de
verre transparentes retrouvant peu à peu leur
immobilité. La réception de l'hôtel était déserte,
l'ascenseur désert, qui montait lentement dans
la nef centrale de l'atrium, et nous nous tenions
silencieux dans la cabine transparente, côte à
côte, Marie en pleurs, son manteau de cuir noir

et son pull sur un bras, regardant les lustres qui n'en finissaient pas de se stabiliser au terme de ce séisme de si faible magnitude que je me demande si ce n'était pas que dans nos cœurs qu'il s'était produit. Le couloir de l'étage était silencieux, interminable, moquette beige, plateau de room-service abandonné devant une porte avec des vestiges épars de repas, une serviette de guingois jetée à travers une assiette sale. Marie marchait devant moi, les épaules lasses, les bras sans force, laissant traîner une main à côté d'elle sur les murs du couloir. Je la rejoignis devant la porte et introduisis la carte magnétique dans la serrure pour entrer dans la chambre. Et, à chaque fois, ces deux soirs, à Paris et à Tokyo, nous avions fait l'amour, la première fois, pour la première fois — et, la dernière, pour la dernière.

Mais combien de fois avions-nous fait l'amour ensemble pour la dernière fois ? Je ne sais pas, souvent. Souvent... J'avais refermé la porte derrière moi, et je regardais Marie avancer dans la chambre en titubant de fatigue, son manteau de cuir noir et son pull sur un bras, son chemisier blanc qui sortait de son pantalon — c'était là le détail troublant que je remarquerais jusqu'à ce qu'elle enlève son chemisier, et alors il n'y aurait plus que son visage serré très fort entre mes mains, ses tempes chaudes entre mes paumes recourbées —, Marie tombant de sommeil dans la chambre et pleurant au ralenti ses larmes insatiables, et je songeais que nous allions quand même finir par faire l'amour cette nuit, et que ce serait déchirant. Aucun de nous n'avait encore allumé de lumière dans la chambre, ni le plafonnier ni la lampe de chevet, et, par la grande baie vitrée de la chambre d'hôtel, on apercevait au loin le quartier administratif de Shinjuku illuminé dans la nuit, avec, tout près de nous, presque méconnaissable en raison de la proximité qui en déformait les proportions, le flanc gauche du monumental Hôtel de Ville de Kenzo Tange. En contrebas, à quelques mètres de la fenêtre, apparaissait l'ombre d'un toit plat, en terrasse, recouvert de hautes rampes de néons verticaux qui clignotaient imperturbablement dans la nuit comme des balises aériennes, avec des reflets intermittents et dilatés, rougeoyants, noirs et mauves, qui pénétraient dans la chambre et recouvraient les murs d'un halo de clarté rouge indécise qui faisait briller sur le visage de Marie de pures larmes infrarouges, translucides et abstraites. Elle s'était avancée le long de la baie vitrée, les yeux mouillés que je devinais dans la pénombre, la blancheur immaculée de son chemisier qu'elle avait entrouvert comme irradiée à intervalles réguliers d'une nappe de cette clarté sanguine indicible que recouvraient les bouffées régulières des néons qui clignotaient devant nous sur les toits. Je la rejoignis à la fenêtre, regardai un instant avec elle le bouquet très dense de tours et d'immeubles de bureaux qui se dressaient devant nous dans l'obscurité, épars et majestueux, chacun, du haut de ses étages, semblant veiller personnellement sur son propre périmètre administratif de silence et de nuit, tandis que mon regard allait lentement de l'un à l'autre, Shinjuku Sumitomo Building, Shinjuku Mitsui Building, Shinjuku Center Building, Keio Plaza Hotel. Pourquoi tu ne veux pas m'embrasser ? me demanda alors Marie à voix basse, le regard fixe, au loin, avec quelque chose de buté dans le visage. Je continuais de regarder dehors sans répondre.

Au bout d'un moment, d'une voix neutre, étonnamment calme, je répondis que je n'avais jamais dit que je ne voulais pas l'embrasser. Alors, pourquoi tu ne m'embrasses pas ? dit-elle en s'approchant de moi pour me prendre l'épaule. Je me raidis, repoussai sa main le plus doucement possible et me remis à regarder fixement le quartier dans la nuit. Je répondis de la même voix calme, presque atone, comme un simple constat : Je n'ai jamais dit non plus que je voulais t'embrasser. (C'était trop tard, Marie, c'était trop tard maintenant). Elle me regarda longuement devant la fenêtre. Allons dormir, Marie, lui dis-je, allons dormir, il est tard, et je vis un long frisson lui parcourir l'épaule, de lassitude et d'agacement. Je faillis ajouter quelque chose, mais je ne dis rien, je me retins et lui posai doucement la main sur l'avant-bras, et elle dégagea violemment le bras. Tu ne m'aimes plus, dit-elle.

Sept ans plus tôt, elle m'avait expliqué qu'elle n'avait jamais ressenti un tel sentiment avec personne, une telle émotion, une telle vague de douce et chaude mélancolie qui l'avait envahie en me voyant faire ce geste si simple, si apparemment anodin, de rapprocher très lentement mon verre à pied du sien pendant le repas, très prudemment, et de façon tout à fait incongrue en même temps pour deux personnes qui ne se connaissaient pas encore très bien, qui ne s'étaient rencontrées qu'une seule fois auparavant, de rapprocher mon verre à pied du sien pour aller caresser le galbe de son verre, l'incliner pour le heurter délicatement dans un simulacre de trinquer sitôt entamé qu'interrompu, il était impossible d'être à la fois plus entreprenant, plus délicat et plus explicite, m'avait-elle expliqué, un concentré d'intelligence, de douceur et de style. Elle m'avait souri, elle m'avait avoué par la suite qu'elle était tombée amoureuse de moi dès cet instant. Ce n'était donc pas par des mots que j'étais parvenu à lui communiquer ce sentiment de beauté de la vie et d'adéquation au monde qu'elle ressentait si intensément en ma présence, non plus par mes regards ou par mes actes, mais par l'élégance de ce simple geste de la main qui s'était lentement dirigée vers elle avec une telle délicatesse métaphorique qu'elle s'était sentie soudain étroitement en accord avec le monde jusqu'à me dire quelques heures plus tard, avec la même audace, la même spontanéité naïve et culottée, que la vie était belle, mon amour.

Marie ôta son chemisier, qu'elle laissa tomber à ses pieds devant la fenêtre de la chambre d'hôtel, et, les épaules nues, ne portant plus que ce fragile soutien-gorge noir en dentelle que j'aimais tant, elle alla allumer une lampe près du lit. Ce n'est qu'alors que m'apparut l'ampleur du désordre dans lequel nous avions laissé la chambre avant de la quitter pour aller dîner, les dizaines de valises ouvertes sur la moquette, qui reposaient dans la faible veilleuse tamisée de l'abat-jour de la lampe de chevet, près de cent quarante kilos de bagages que Marie avait enregistrés l'avant-veille à Roissy, avec un excédent de quatre-vingt kilos qu'elle avait accepté sans ciller et payé rubis sur l'ongle au comptoir de la compagnie aérienne, éparpillés là dans la chambre, huit valises métalliques rembourrées et quatre malles identiques qui contenaient un choix de robes de sa dernière collection, plus une série de cantines effilées, moitié en osier, moitié en acier, spécialement conçues pour le transport des œuvres d'art et qui renfermaient des vêtements expérimentaux en titane et en Kevlar qu'elle avait conçus pour une exposition d'art contemporain qu'elle devait inaugurer le week-end prochain au *Contemporary Art Space* de Shinagawa. Marie était à la fois styliste et plasticienne, elle avait crée sa propre marque, *Allons-y Allons-o*, à Tokyo il y a quelques années. Je la regardais, elle s'était laissée tomber à plat ventre sur le lit au milieu de ses robes qui s'étaient fanées sous le poids de son corps et dégringolaient sur le sol en cascades paresseuses de tissu affaissé, et elle pleurait, mon amour, le visage enfoui dans un volant de robe qui se mêlait à ses cheveux. Son père était mort quelques mois plus tôt, et tant de larmes se mêlaient maintenant dans son cœur, qui coulaient depuis des semaines dans le cours tumultueux de nos vies, des larmes de tristesse et d'amour, de deuil et d'étonnement. Autour d'elle, toutes ces robes paraissaient en représentation dans la chambre, raides et immobiles dans leurs housses translucides, parées, altières, décolletées, séductrices et colorées, amarante, incarnadines, pendues aux battants des armoires ou à des cintres de fortune, alignées sur les deux portants de voyage qu'elle avait dépliés dans la chambre d'hôtel comme dans une loge de théâtre improvisée, ou simplement déposées avec soin sur des chaises, sur les bras des fauteuils. Je considérais dans la pénombre de la chambre toutes ces robes désincarnées aux reflets de flammes et de ténèbres qui semblaient faire cercle autour de son corps à moitié dénudé, et, las, moi aussi — très las maintenant, rompu par le décalage horaire —, je songeai de nouveau au flacon d'acide chlorhydrique qui se trouvait dans ma trousse de toilette.

Lorsque j'avais fait mes bagages, je m'étais interrogé sur la manière d'emporter ce flacon d'acide chlorhydrique avec moi au Japon. Il était naturellement hors de question de le garder sur moi pendant le voyage, on l'aurait découvert à l'embarquement ou au passage de la douane, et j'aurais été incapable d'expliquer ses origines et sa provenance, sa nature et l'usage que je voulais en faire. D'un autre côté, je craignais de le faire voyager dans ma valise, au risque de le voir se briser en laissant l'acide se répandre au cœur de mes vêtements. Finalement, sans plus de précautions particulières — son apparence neutre de flacon d'eau oxygénée était sans doute sa meilleure couverture —, je l'avais casé dans un des trois compartiments souples du flanc de ma trousse de toilette, délimités chacun par une petite lanière de cuir amovible, entre une fiole de parfum et un paquet de lames de rasoir. Ma trousse de toilette avait déjà souvent abrité de ces objets hétéroclites, dentifrice et coupe-ongles, du miel et des épices, de l'argent liquide dans des enveloppes de papier kraft, sans compter différents jeux de pellicules photos pas encore développées, petits rouleaux compacts noir et bleu de l'Ilford FP4, noir et vert de l'Ilford HP5, qu'il fallait sortir plus ou moins clandestinement de tel ou tel pays. Mais ce fut sans attirer l'attention de quiconque que le flacon d'acide voyagea entre Paris et Tokyo.

Le jour même où Marie me proposa de l'accompagner au Japon, je compris qu'elle était prête à brûler nos dernières réserves amoureuses dans ce périple. N'eût-il pas été plus simple, si nous devions nous séparer, de profiter de ce voyage prévu de longue date pour prendre un peu de recul l'un envers l'autre ? Était-ce la meilleure solution de voyager ensemble, si c'était pour rompre ? Dans une certaine mesure, oui, car, autant la proximité nous déchirait, autant l'éloignement nous aurait rapproché. Nous étions en effet si fragiles et désorientés affectivement que l'absence de l'autre était sans doute la seule chose qui pût encore nous rapprocher, tandis que sa présence à nos côtés, au contraire, ne pouvait qu'accélérer le déchirement en cours et sceller notre rupture. En avait-elle conscience en me proposant de l'accompagner à Tokyo, et m'avait-elle invité sciemment pour rompre, je n'en sais rien, et je ne crois pas. D'un autre côté, je la soupçonnais d'avoir nourri au moins deux arrière-pensées légèrement perverses en me proposant de l'accompagner au Japon, d'abord d'avoir cru que je ne pourrais pas accepter son invitation (pour de multiples raisons, mais pour une, surtout, dont je n'ai pas envie de parler), mais surtout d'avoir été très consciente des statuts respectifs qui seraient les nôtres pendant ce voyage, elle couverte d'honneurs, de rendez-vous et de travail, entourée d'une cour de collaborateurs, d'hôtes et d'assistants, et moi sans statut, dans son ombre, son accompagnateur en somme, son cortège et son escorte.

Soulevant très faiblement la tête, Marie se retourna langoureusement dans la masse mouvante de ses robes, qui ondulèrent et se plissèrent sous le poids de son corps dénudé, et, d'une voix douce et légèrement endormie, elle me demanda de lui donner à boire, de l'eau ou du champagne. Rien que ça, de l'eau ou du champagne, elle avait toujours eu de ces goûts d'une exquise simplicité, mon amour, la première fois que nous avions passé la nuit ensemble, comme je me levais pour préparer le petit déjeuner et lui demandais si elle voulait du thé ou du café, après une longue hésitation, avec une moue boudeuse, elle m'avait dit les deux. Marie s'était déchaussée et ne portait plus que son pantalon noir, assez ample, dont elle avait ouvert le premier bouton qui donnait sur son slip noir transparent. Ses yeux étaient fermés, mais pas assez apparemment, pas suffisamment scellés et coupés du monde, la lumière devait continuer de la gêner car elle tendit le bras vers la table de nuit et s'empara à tâtons des lunettes de soie lilas de la Japan Airlines qu'on avait reçues dans l'avion pour se garder de la lumière. Sans rouvrir les yeux, elle ajusta les lunettes de tissu sur son visage, avant de se laisser retomber en arrière sur le lit, donnant dès lors à sa silhouette des allures de star énigmatique, figure vaincue et ophélienne dans son lit mortuaire d'étoffes alanguies et de couleurs de cendres, les épaules enfoncées dans l'émolliente mollesse aquatique d'une de ses robes froissées, en soutien-gorge noir dont une bretelle lui tombait sur le milieu du bras et pantalon largement ouvert sur le haut de son slip transparent, la paire de lunettes en soie lilas de la Japan Airlines lui ceignant négligemment le visage.

Derrière la fenêtre de la chambre, les néons continuaient de déchirer la nuit en de longues lueurs rougeâtres intermittentes, qui pénétraient la pièce et venaient se mêler à la pâle lumière dorée de la lampe de chevet. Je m'emparai d'une flûte à champagne, que je remplis à ras bord d'eau minérale et allai rejoindre Marie sur le lit en me faisant une place dans le désordre de peignoirs et de robes qui encombraient les draps. En m'asseyant à côté d'elle, mon regard se posa sur l'échancrure de son pantalon qui laissait maintenant apparaître la presque totalité de son slip transparent derrière lequel se devinait la masse dense et sombre des poils de son pubis. Sentant ma présence à ses côtés, Marie releva lassement le bras et me prit la flûte des mains, qu'elle porta aussitôt à sa bouche pour boire une gorgée d'eau sans ôter ses lunettes de soie, avant de se recoucher lentement en arrière, la flûte à la main, de l'eau glissant à l'encoignure de ses lèvres dans un frimas de petites bulles frémissantes, puis, comme elle buvait toujours, l'eau se mit à dégouliner en fontaine le long de ses joues, sur son menton, dans son cou et sur ses clavicules. Quand elle eut fini de boire, elle tendit le bras au loin hors du lit pour déposer la flûte, qui tomba à la renverse sur la moquette, et, sans transition, d'un geste autoritaire, sûr et précis, elle s'empara de ma main et l'enfonça dans son slip, resserra les cuisses autour de sa prise. Et, passée la première surprise, passé le premier saisissement, je sentis soudain sous la peau de mon doigt le contact légèrement électrique, éminemment vivant, meuble et humide, de l'intérieur de son sexe.

C'était une envie immémoriale et instinctive, que je voyais croître et se nourrir en moi par le simple enchaînement des gestes de l'amour que nous accumulions. Marie avait soulevé le bassin pour m'aider à enlever son pantalon, et j'avais longuement embrassé son ventre nu autour de son nombril, juste au-dessus de la couture invisible du slip, qui marquait une frontière de tissu entre sa peau très blanche et le léger lycra noir et transparent du sous-vêtement. Puis, elle avait tendu la main pour m'aider à descendre le slip sur le côté, s'était encore soulevée pour l'enlever tout à fait, et alors elle avait progressivement cessé de bouger et de s'agiter, son impatience s'était tue. Elle demeurait allongée en arrière sur le lit, la nuque baignant dans un coussin, les lunettes en soie lilas de la Japan Airlines sur les yeux, avec une sorte d'apaisement des traits du visage depuis que ma langue s'était enfoncée dans son sexe, et elle gémissait très doucement, apaisée, accompagnant simplement les mouvements de ma langue en soulevant en rythme le bassin imperceptiblement.

Lentement, j'étais remonté avec la bouche tout au long de son corps, m'attardant sur son ventre et sur ses seins, dépassant la fine frontière de dentelle de son soutien-gorge noir qui était resté attaché dans son dos, mais dont j'avais descendu précautionneusement les balconnets, de sorte que ses seins, délivrés du corset de dentelle, tombaient dans mes mains et se mouvaient très mollement sous mes doigts. Petit à petit, je remontais vers son visage, mes paumes glissant sur sa poitrine et ses épaules nues. D'instinct, ma bouche s'était sentie aimantée par sa bouche et l'appel des baisers, mais, au moment même où j'allais poser mes lèvres sur les siennes, je vis que sa bouche était fermée, close et butée dans une détresse muette, ses lèvres pincées qui n'attendaient nullement ma bouche, crispées dans la recherche d'un plaisir exclusivement sexuel. Et c'est alors, que, m'immobilisant et redressant la tête au-dessus de son visage dont les yeux bandés me voilaient l'expression, je vis apparaître très lentement une larme sous le mince rebord noir des lunettes de soie lilas de la Japan Airlines, une larme immobile, à peine formée, qui tremblait tragiquement sur place, indécise, incapable de glisser davantage le long de sa joue, une larme qui, à force de trembler à la frontière du tissu, finit par éclater sur la peau de sa joue dans un silence qui résonna dans mon esprit comme une déflagration.

J'aurais pu boire cette larme à même sa joue, me laisser tomber sur son visage et la recueillir avec la langue. J'aurais pu me jeter sur elle pour embrasser ses joues, son visage et ses tempes, arracher ses lunettes de tissu et la regarder dans les yeux, ne fût-ce qu'un instant, échanger un regard et se comprendre, communier avec elle dans cette détresse que l'exacerbation de nos sens aiguisait, j'aurais pu forcer ses lèvres avec ma langue pour lui prouver la fougue de l'élan inentamé qui me portait vers elle, et nous nous serions sans doute perdus, en sueur, inconscients de nous-mêmes, dans une étreinte mouillée, salée, onctueuse, de baisers, de transpiration, de salive et de pleurs. Mais je n'ai rien fait, je ne l'ai pas embrassée, je ne l'ai pas embrassée une fois cette nuit-là, je n'ai jamais su exprimer mes sentiments. J'ai regardé la larme se dissiper sur sa joue, et j'ai fermé les yeux — en pensant que peut-être, en effet, je ne l'aimais plus.

Il était tard, peut-être plus de trois heures du matin, et nous faisions l'amour, nous faisions lentement l'amour dans l'obscurité de la chambre que traversaient encore de longues traînées de lueurs rouges et d'ombre noires, qui laissaient sur les murs de fugitives traces de leur passage. Le visage de Marie, penché dans la pénombre, les cheveux en désordre dans le tumulte des draps défaits, de ses peignoirs et de ses robes emmêlés autour de nous, restait comme en retrait de notre étreinte, à l'abandon à l'angle d'un coussin, les lèvres serrées, qui ne se départaient pas de cette terrible expression de détresse grave et muette que je lui avais connue. Nue dans mes bras, chaude et fragile dans le lit de cette chambre d'hôtel au plafond de laquelle passaient de fugaces filaments de lueurs de néons rouges, je l'entendais gémir dans le noir à mesure que je bougeais en elle, mais je ne sentais guère ses mains contre mon corps, ses bras s'enrouler autour de mes épaules. Non, c'était comme si elle évitait soigneusement tout contact superflu avec ma peau, tout attouchement inutile, toute jonction entre nos corps autre que sexuelle. Car seul son sexe semblait participer à notre étreinte, son sexe chaud que j'avais pénétré et qui bougeait de façon presque autonome, âpre et hargneuse, avide, tandis qu'elle serrait les jambes pour enfermer ma verge dans l'étau de ses cuisses et se frottait éperdument contre mon pubis à la recherche d'une jouissance que je la sentais prête à conquérir de façon de plus en plus agressive. J'avais le sentiment qu'elle se servait de mon corps pour se masturber contre moi, qu'elle frottait sa détresse contre mon corps pour se perdre dans la recherche d'une jouissance délétère, incandescente et solitaire, douloureuse comme une longue brûlure et tragique comme le feu de la rupture que nous étions en train de consommer, et c'était sans doute exactement le même sentiment qu'elle devait éprouver envers moi, car, moi aussi, depuis que notre bras-

le-corps était devenu cette lutte de deux jouis-
sances parallèles, non plus convergentes mais
opposées, antagonistes, comme si nous nous dis-
putions le plaisir au lieu de le partager, j'avais
fini par me concentrer comme elle sur une
recherche de plaisir purement onaniste. Et, à
mesure que l'étreinte durait, que le plaisir sexuel
montait en nous comme de l'acide, je sentais
croître la terrible violence sous-jacente de cette
étreinte.

Il est sans doute probable que si nous avions
joui maintenant, nous aurions pu calmer nos
sens enfiévrés par la tension nerveuse et la trop
grande fatigue accumulée depuis le début du
voyage et nous endormir là comme des bûches,
enlacés dans ce grand lit défait. Mais le désir
grandissait toujours, la jouissance nous gagnait,
et, les lèvres serrées, gémissant dans les bras l'un
de l'autre, nous continuions de nous aimer dans
l'obscurité de cette chambre d'hôtel, quand
j'entendis soudain un minuscule déclic derrière
moi, et, dans le même temps, la pénombre de
la chambre fut envahie par une clarté bleutée
d'aquarium, silencieuse et inquiétante. Sans la

moindre intervention extérieure, et dans un silence d'autant plus surprenant que rien ne l'avait précédé ni rien ne le suivit, le téléviseur s'était allumé de lui-même dans la chambre. Aucun programme n'avait été initialisé, aucune musique ni aucun son ne sortait du récepteur, seulement une image fixe et neigeuse qui affichait sur l'écran un message sur fond bleu dans un imperceptible grésillement électronique continu. *You have a fax. Please contact the central desk.* Marie, les yeux ceints de ses lunettes de soie, n'avait rien remarqué de cette interruption et continuait de se mouvoir dans mes bras dans la pénombre bleutée de la chambre. Mais, malgré l'intensité brûlante de mon désir, je fus anéanti par cet incident, et, fixant avec hébétude ce message silencieux sur l'écran, je fus incapable de poursuivre un instant de plus notre étreinte. Essoufflé et en sueur, je m'interrompis, et, après être resté un instant immobile contre son corps, je me retirai d'elle en lui disant à voix basse, le plus absurdement du monde, qu'on avait reçu un fax. Un fax ? Je crois qu'elle n'écouta même pas ma phrase, ou ne la comprit pas, ne chercha en tout cas pas à la comprendre,

35

tant elle prit mon interruption pour une agression, une volonté délibérée de la priver de son plaisir, de lui voler la jouissance. Couchée sur le dos dans le lit, elle finit par éclater silencieusement en sanglots, des larmes fuyaient de toutes parts sous les interstices de ses lunettes de soie, non seulement vers le bas, qui coulaient naturellement sur ses pommettes et sur ses joues, mais aussi vers le haut, qui allaient se mêler aux gouttelettes de transpiration accumulées le long de ses cheveux. Je voulus dire quelque chose, m'expliquer, lui prendre le bras pour la calmer, lui caresser la joue, mais mes efforts pour la consoler ne faisaient que la hérisser davantage, le simple contact de mes mains sur sa peau lui faisait horreur. Prise de convulsions sur le lit, elle me repoussait des pieds et des mains en me hurlant de foutre le camp. Tu me dégoûtes, répétait-elle, tu me dégoûtes.

Debout dans la salle de bain, je regardais ma silhouette dénudée dans la pénombre du miroir. Je n'avais pas allumé la lumière en entrant dans la pièce, et deux sources de clarté contradictoires venaient se disputer la relative obscurité des lieux, la lueur bleutée de l'écran du téléviseur qui brillait toujours dans la chambre contiguë où j'entendais Marie sangloter doucement dans les draps, et la fine raie dorée de la veilleuse au sol de la penderie qui s'était allumée automatiquement sur mon passage dans le couloir. Je devinais à peine les traits et les contours de mon visage dans le grand miroir mural placé au-dessus du lavabo. La baignoire, derrière moi, se reflétait dans la pénombre, un peignoir de bain chiffonné sur un des rebords, plusieurs serviettes par terre, d'autres, inutilisées, encore pliées en deux sur leurs appliques argentées. Sur la tablette du lavabo, à côté des innombrables produits de beauté de Marie, flacons et tubes, poudriers, rouge à lèvres, crayons, blush, mascara, se trouvait ma trousse de toilette en évidence, que je venais d'ouvrir quelques instants plus tôt. De mon visage dans le noir n'émergeait que le regard, mes yeux fixes et intenses qui me regardaient. Je me regardais dans le miroir et je songeais à l'autoportrait de Robert Mapplethorpe, où, du noir de ténèbres des profondeurs thanatéennes du fond de la photo n'émergeait, au premier plan, qu'une canne en bois précieux, avec un minuscule pommeau ciselé en ivoire, sculpté en tête de mort, auquel, sur le même plan, avec la même parfaite profondeur de champ, répondait comme en écho le visage du photographe qu'un voile de mort avait déjà recouvert. Son regard, pourtant, avait une expression de calme et de défi serein. Debout dans l'obscurité de la salle de bain, j'étais nu en face de moi-même, un flacon d'acide chlorhydrique à la main.

Et, peu à peu, la menace s'était précisée.

Derrière moi, la porte de la salle de bain était restée ouverte, et, dans l'ombre, se devinaient les parois coulissantes de la penderie et la partie du couloir qui menait à la chambre. Marie avait dû s'assoupir, le corps dénudé en travers du lit, les yeux ceints de son bandeau humide de larmes dans la pâle lumière bleutée de l'écran du téléviseur toujours allumé dans la pièce. Je visualisais très bien le parcours qui me séparait de la chambre, les quelques pas dans le couloir qu'il me faudrait faire le long de la penderie, puis l'angle du mur et le débouché sur la chambre, les caisses de bois en désordre sur le sol, les valises ouvertes et le cortège figé des robes de collection noires et languissantes qui avaient pris formes humaines dans la pénombre et pendaient, torsadées, suppliciées, aux gibets de fortune des portants de voyage, avec, au loin, en perspective, la grande baie vitrée qui donnait sur Tokyo. Aucun bruit ne se faisait entendre dans la chambre, ni respiration ni sanglots, pas de craquements. Je n'entendais aucun bruit, et j'avais peur... Cela faisait tant d'heures que nous n'avions dormi ni l'un ni l'autre, tant d'heures que nos repères temporels et spatiaux s'étaient dilués dans le manque de sommeil, l'égarement des sentiments et le dérèglement des sens. Il devait être plus de trois heures du matin à Tokyo maintenant, et nous étions arrivés au Japon le matin même, vers huit heures, heure japonaise, après une courte matinée à Paris avant le départ et une longue nuit dans l'avion, où nous n'avions somnolé qu'une heure ou deux, cela faisait donc près de quarante-huit heures que nous n'avions pas dormi, ou seulement trente-six heures, peu importe, je me lançais dans des calculs compliqués et oiseux pour fixer mes pensées sur n'importe quelles données objectives et ne pas me laisser submerger par la montée de violence que je sentais grandir en moi. J'aurais aimé aller embrasser Marie pour la consoler, doucement la prendre dans mes bras et, avec la force impérieuse des aveux qu'on ne fait pas, ou seulement en pensées, dans son for intérieur, lui dire que je l'aimais, que je l'avais toujours aimée, mais qu'il fallait dormir, que nous devions dormir, que seul le sommeil pouvait nous apaiser maintenant. Il est si tard, Marie, dors, il est si tard, lui disais-je, et je lui pris doucement la main. Elle tressaillit alors, brusquement, comme si elle se réveillait en sursaut. Fous le camp, répéta-t-elle à voix basse en libérant sa main et me repoussant du bras, fous le camp, laisse-moi dormir, répéta-t-elle. Et il n'y eut soudain que des 3 sous mes yeux, trois 3 qui apparurent dans mon champ de vision, 3.33 a.m. que je vis brusquement clignoter devant moi sur le cadran du radioréveil, trois 3 en chiffres rouges de cristaux liquides finement pointillés qui me fixaient dans la pénombre de la table de nuit. Mais où étais-je ? Et qu'était cette sinistre pénombre mauve que traversaient les longs faisceaux de ce phare de malheur aux reflets noirs et rouges ? Étais-je revenu dans la chambre ? J'étais assis à côté d'elle, le flacon d'acide chlorhydrique ouvert à la main. Et c'était ça qui puait, l'odeur âcre de l'acide.

Je refermai la porte de la chambre derrière moi, me retrouvai seul dans le couloir désert du seizième étage. Pas un bruit à l'étage, seulement le ronronnement de l'air conditionné, et, peut-être, au loin, une soufflerie de chaudière derrière une porte de service. J'avais passé un pantalon et un tee-shirt à la hâte avant de quitter la chambre, et j'étais pieds nus, je portais une simple paire de pantoufles en mousse blanche de l'hôtel. Dans la légère confusion d'esprit dans laquelle je me trouvais, j'avais dû partir dans la mauvaise direction, car il me sembla faire plusieurs fois le tour de l'étage avant de finir par déboucher sur le palier. Là, j'appuyai sur tous les boutons à la fois pour appeler les ascenseurs, et, au bout d'un moment, je vis s'allumer un voyant lumineux orange couplé à un signal sonore qui retentit de façon courte et aiguë sur le palier désert pour annoncer l'arrivée imminente d'une cabine. Les portes de l'ascenseur s'ouvrirent devant moi. J'entrai machinalement dans la cabine, appuyai au hasard sur le bouton du dernier étage. La cabine montait en silence, et je ne bougeais pas, j'entendais mon cœur battre, je ressentais des picotements aux tempes.

Plusieurs images de cauchemar me hantaient, fragments de visions récentes qui surgissaient dans des éclairs fugitifs de ma conscience, fulgurances hallucinées qui se déchiraient dans des éblouissements de rouge et d'ombres noires : moi nu dans les ténèbres de la salle de bain qui jetais de toutes mes forces l'acide chlorhydrique à la gueule du miroir pour ne plus voir mon regard, ou moi encore, plus calme et beaucoup plus inquiétant, le flacon d'acide chlorhydrique à la main, regardant le corps dénudé de Marie étendue sur le lit dans la pénombre bleutée de la chambre, ses jambes et son sexe nus devant moi, son visage bandé par les lunettes de soie, la douce respiration de sa poitrine endormie, moi qui luttais intérieurement, et qui, dans un mouvement ample et un hurlement, me détournant d'elle, aspergeais la baie vitrée de la chambre d'une giclée d'acide qui bouillonnait sur le verre et se mettait à crisser et à fumer autour du cratère dans une mélasse gluante de verre fondu et boursouflé qui dégoulinait sur la vitre en longues traînées sirupeuses et noirâtres.

Arrivé au vingt-septième étage de l'hôtel, je butai sur plusieurs portes closes, des issues condamnées. L'éclairage avait été coupé pour la nuit à l'étage, ne demeuraient dans le noir que les sigles verts fluorescents d'issues de secours qui brillaient dans leurs caches transparents, EXIT, EXIT, EXIT. J'entendis les portes de l'ascenseur se refermer derrière moi. Je m'engageai sur la droite dans un couloir très sombre, parsemé de veilleuses éparses aux reflets blanchâtres, qui donnaient quelque chose de lunaire et de fantomatique aux lieux. Arrivé au bout du couloir, je me heurtai à une double porte vitrée aux chambranles dorés, surmontée d'armoiries nautiques et d'une enseigne bleutée où l'on pouvait lire *Health Club* en lettres de néon éteintes. La porte résista quand j'essayai de l'ouvrir, mais, examinant plus attentivement les chambranles, je me rendis compte que les deux verrous à baïonnette qui l'entravaient, l'un en haut avec le pêne en demi-rond qui montait dans une gâche, et l'autre en bas, avaient été installés à l'extérieur du local, et non à l'intérieur. Je n'eus donc qu'à faire glisser les deux tiges hors de leurs gâches pour entrouvrir la porte et me faufiler à l'intérieur. Me retournant de crainte d'avoir été surpris par quelqu'un qui eût remarqué quelque chose d'anormal à l'étage, je traversai rapidement un hall d'accueil désert et entrai sans bruit dans une salle de gymnastique déserte où mes yeux commencèrent à s'accoutumer à l'obscurité, fis quelques pas parmi les haltères et les appareils cardio-vasculaires, rameurs et tapis de course à l'arrêt, alignement de bicyclettes médicales sans roues, seulement un cadre désossé, structures verticales sommaires avec des allures d'oiseaux métalliques brisés ou amputés. Partout, dans le noir, se trouvaient de grands miroirs muraux, triptyques verticaux qui reflétaient à l'infini ma silhouette méconnaissable. J'hésitais sur la voie à suivre et, revenant sur mes pas, je m'engageai dans un petit escalier intérieur aux parois en faïence où régnait une odeur de savon et de chlore. Je ne savais pas où il menait et je montais lentement les marches en me tenant à la rampe, quand Tokyo apparut d'un coup devant moi dans la nuit, comme un décor de théâtre factice d'ombres et de points lumineux tremblotants derrière les baies vitrées de la piscine.

L'eau de la piscine était immobile dans la nuit, parcourue de lueurs fugaces et de reflets mouvants. Figée dans la pénombre, elle avait une apparence de plomb fondu, de mercure ou de lave, et semblait reposer là de toute éternité, à deux cents mètres au-dessus du niveau de la mer, traversée parfois d'infimes ondoiements spontanés, comme une peau qui frissonne. Il n'y avait pas un souffle d'air autour de moi, pas de clapotement d'eau contre les rebords du bassin. Des transatlantiques en plastique blanc ajouré étaient disposés le long de la baie vitrée, pas tous dépliés, certains encore en attente, remisés dans un coin, avec d'autres fauteuils de plage repliés sur eux-mêmes, des parasols, des bouées, des planches en mousse agglomérée. Il faisait très chaud dans l'enceinte de la piscine, presque moite, et, dans les vapeurs de l'air ambiant, flottait une odeur de détergent parfumé, aux relents d'andropogon, d'ammoniaque et d'agrumes. Quelques massifs de plantes se dressaient aux angles du bassin, dont on apercevait les îlots de végétation tropicale dans le noir, jaillissement de bambous dont le bouquet de tiges ligneuses montait le long des vitres, frondes géantes des fougères qui débordaient des jardinières et allaient s'incurver mollement sur le carrelage. Il n'y avait pas un bruit dans la piscine. Je longeai lentement le bassin, le regard traînant en hauteur sur la grande verrière du toit amovible qui laissait apparaître le ciel étoilé par les interstices de la structure métallique. Arrivé de l'autre côté du bassin, je m'avançai sans bruit jusqu'à la paroi de verre et me mis à observer en silence la ville endormie devant moi.

Vue de haut pendant la nuit, la terre semble parfois retrouver quelque chose de sa nature d'origine, davantage en accord avec l'état sauvage de l'univers primitif, proche des planètes inhabitées, des comètes et des astres perdus dans l'infini des espaces cosmiques, et c'était cette image que Tokyo donnait d'elle-même à présent derrière la baie vitrée de la piscine, celle d'une ville endormie au cœur de l'univers, parsemée de lumières mystérieuses, néons et réverbères, enseignes, éclairages des rues et des artères, des ponts, des voies ferrées, autoroutes métropolitaines et réseau d'avenues surélevées enchevêtrées, miroitement de pierreries et bracelets de lumière piquetée, guirlandes et lignes brisées de points lumineux dorés, souvent minuscules, stables ou scintillants, proches et lointains, signaux rouges des balises aériennes qui clignotaient dans la nuit aux sommets des antennes et aux angles des toits. Je regardais l'immense étendue de la ville derrière la baie vitrée, et j'avais le sentiment que c'était la terre elle-même que j'avais sous les yeux, dans sa courbe convexe et sa nudité intemporelle, comme si c'était depuis l'espace que j'étais en train de découvrir ce relief enténébré, et j'eus alors fugitivement conscience de ma présence à la surface de la terre, impression fugace et intuitive qui, dans le douceâtre vertige métaphysique où je vacillais, me fit me représenter concrètement que je me trouvais à l'instant quelque part dans l'univers.

Par-delà les premières façades éclairées, c'était tout le quartier de Shinjuku qui étendait devant moi son profil d'ombres dans la nuit. On apercevait aussi bien sur la gauche de vastes zones horizontales presque complètement plongées dans les ténèbres que l'immense trouée de verdure noire, illisible et opaque, du Palais impérial au cœur même de la ville, et jusqu'à la mer, à l'horizon, par-dessus Shimbashi et Ginza, l'appel du large et les embruns, la baie de Tokyo et l'océan Pacifique dont les eaux noires se perdaient aux limites de l'acuité visuelle et de l'imagination. Je me tenais là debout dans la pénombre devant la baie vitrée de la piscine au vingt-septième étage de l'hôtel, et, du haut de cet à-pic de près de deux cents mètres qui dominait la ville, debout sur ce promontoire privilégié qui donnait de plain-pied sur le vide, je regardais Tokyo qui s'étendait à perte de vue devant moi, déployant sous mes yeux l'immense superficie de son agglomération illimitée. Je pressentis alors que la terre allait de nouveau se mettre à trembler, comme lorsque nous étions rentrés à l'hôtel quelques

48

heures plus tôt, et je songeais que la secousse que nous avions ressentie tout à l'heure, comme toutes les secousses telluriques perceptibles par nos sens, pouvait légitimement être interprétée comme le signe avant-coureur d'une secousse plus grande, elle-même annonciatrice d'un grand tremblement de terre, et pourquoi pas d'un très grand, du plus grand, du fameux *big one* attendu à Tokyo par tous les spécialistes, comparable à celui de 1923, ou de 1995 dans le Kansai, et même peut-être supérieur en intensité, d'un degré de destruction encore inconnu à ce jour, inimaginable compte tenu de l'urbanisation actuelle de Tokyo, au-delà de toute imagination catastrophique. Et, jouissant de ce point de vue imprenable sur la ville, je me mis alors à l'appeler de mes vœux, ce grand tremblement de terre tant redouté, souhaitant dans une sorte d'élan grandiose qu'il survînt à l'instant devant moi, à la seconde même, et fît tout disparaître sous mes yeux, réduisant là Tokyo en cendres, en ruines et en désolation, abolissant la ville et ma fatigue, le temps et mes amours mortes.

L'eau de la piscine était immobile dans la pénombre, seules brillaient dans le noir les rampes argentées recourbés des escaliers d'accès au bassin. Je fis quelques pas le long du bassin et ôtai mon tee-shirt, que je posai pensivement sur le bras d'un transatlantique. Je déboutonnai mon pantalon et le descendis le long de mes cuisses, soulevai un pied pour le faire glisser le long de mon mollet, puis l'autre, précautionneusement, pour me libérer du vêtement. Je me déchaussai et me dirigeai entièrement nu vers le bassin, sentant le contact tiède et humide des froncements caoutchouteux du revêtement sous la plante de mes pieds. Je m'assis au bord de l'eau, nu dans la pénombre, et, au bout d'un moment, tout doucement, je me laissai glisser à la verticale dans le bassin — et le tourbillon de tensions et de fatigues que j'avais accumulées depuis mon départ de Paris parut se résoudre à l'instant dans le contact de l'eau tiède sur mon corps.

Je nageais lentement dans l'obscurité de la piscine, l'esprit apaisé, partageant mes regards entre la surface de l'eau que mes brasses lentes et silencieuses altéraient à peine et le ciel immense dans la nuit, visible de toutes parts, par les multiples ouvertures de la baie vitrée qui offraient au regard des perspectives illimitées. J'avais le sentiment de nager au cœur même de l'univers, parmi des galaxies presque palpables. Nu dans la nuit de l'univers, je tendais doucement les bras devant moi et glissais sans un bruit au fil de l'onde, sans un remous, comme dans un cours d'eau céleste, au cœur même de cette Voie lactée qu'en Asie on appelle la Rivière du Ciel. De toutes parts, l'eau glissait sur mon corps, tiède et lourde, huileuse et sensuelle. Je laissais mes pensées suivre leur cours dans mon esprit, j'écartais l'eau en douceur devant moi, scindant l'onde en deux vagues distinctes dont je regardais les prolongements scintillants de paillettes d'argent s'éloigner en ondulant vers les bords du bassin. Je nageais comme en apesanteur dans le ciel, respirant doucement en laissant mes pensées se fondre dans l'harmonie de l'univers. J'avais fini par me déprendre de moi, mes pensées procédaient de l'eau qui m'entourait, elles en étaient l'émanation, elles en avaient l'évidence et la fluidité, elles s'écoulaient au gré

51

du temps qui passe et coulaient sans objet dans l'ivresse de leur simple écoulement, la grandeur de leur cours, comme des pulsations sanguines inconscientes, rythmées, douces et régulières, et je pensais, mais c'est déjà trop dire, non, je ne pensais pas, je faisais maintenant corps avec l'infini des pensées, j'étais moi-même le mouvement de la pensée, j'étais le cours du temps.

En sortant de la piscine, je regagnai ma chambre. Je marchais dans le long couloir du seizième étage, la moquette beige, les portes des chambres fermées les unes à côté des autres, seulement les numéros en métal doré pour se repérer, presque tous identiques, 1614, 1615, 1616, 1617, 1618, 1619. Arrivé devant la porte de ma chambre, comme je m'apprêtais à entrer pour rejoindre Marie, je me ravisai et fis demi-tour pour descendre à la réception chercher le fax que nous avions reçu. Je sortis des ascenseurs et traversai le hall, un peu honteux de ma tenue qui contrastait avec le faste de l'hôtel (je portais un simple tee-shirt noir froissé et humide et j'avais les pieds nus dans des sandales en mousse). Il devait être un peu plus de quatre heures du matin, et l'hôtel était désert, il n'y avait personne dans l'immense hall de marbre silencieux et assoupi. A la réception ne se trouvait qu'un employé de garde, en habit noir, de dos, qui était plongé dans la lecture d'un document. Les autres comptoirs étaient vides, le pupitre qui servait de point de ralliement aux services de l'*airport-limousine* avait été abandonné, il n'y avait pas de portier en vue, personne sur le perron surmonté d'un auvent qu'on devinait dans la nuit derrière la double rangée de portes de verre coulissantes. Je m'avançai jusqu'au comptoir, et, d'une voix ferme, qui contrastait un peu avec le relâché de ma tenue, je lui expliquai en anglais que j'avais été averti dans ma chambre de l'arrivée d'un fax. Room 1619, dis-je assez sèchement, de Montalte, ajoutai-je.

Marie s'appelait de Montalte, Marie de Montalte, Marie Madeleine Marguerite de Montalte (elle aurait pu signer ses collections comme ça, M.M.M.M., en hommage sibyllin à la Maison du docteur Angus Killierankie). Marie, c'était son prénom, Marguerite, celui de sa grand-mère, de Montalte, le nom de son père (et Madeleine, je ne sais pas, elle ne l'avait pas volé, personne n'avait comme elle un tel talent lacrymal, ce don inné des larmes). Lorsque je l'ai connue, elle se faisait appeler Marie de Montalte, parfois seulement Montalte, sans la particule, ses amis et collaborateurs la surnommaient Mamo, que j'avais transformé en MoMA au moment de ses premières expositions d'art contemporain. Puis, j'avais laissé tomber MoMA, pour Marie, tout simplement Marie (tout ça pour ça).

Le réceptionniste tardait à revenir (*just a moment, please*, m'avait-il dit, avant de disparaître dans les profondeurs d'un petit local annexe), et j'attendais son retour à la réception, les pieds nus dans mes sandales humides. Mais que se passait-il ? Pourquoi ne revenait-il pas ? Ne parvenait-il pas à retrouver le fax ? Ou bien s'agissait-il d'une erreur ? Se pouvait-il que personne ne nous eût envoyé de fax cette nuit ? Mais alors, pourquoi avais-je quitté précipitamment la chambre en pleine nuit ? Et l'acide, me disais-je, où se trouvait le flacon d'acide chlorhydrique à présent ? De multiples pensées angoissantes m'assaillaient l'esprit, qui me faisaient battre le cœur plus vite. Le réceptionniste revint vers moi, imperturbable, et, après une rapide vérification sur un grand registre en cuir noir, d'un geste stylé, il tendit le bras en direction du hall pour me dire que quelqu'un était déjà passé prendre le message avant moi. Quelqu'un ? Je me retournai brusquement vers le hall et aperçus Marie à quelques mètres de là. Marie était là. Je n'aperçus d'abord que ses jambes, car son corps demeurait caché par un pilier, ses jambes haut croisées que je reconnus tout de suite, les pieds chaussés d'une paire de mules en cuir rose pâle qui devaient appartenir à l'hôtel et qu'elle portait avec une élégance distante, raffinée et ironique (une en équilibre précaire au bout de ses orteils, l'autre déjà tombée par terre). Je fis prudemment un pas vers elle, je ne savais pas comment elle allait m'accueillir. Elle était immobile, allongée dans un des élégants canapés en cuir noir du hall, la tête et les cheveux tombant en arrière, un bras ballant au sol, et vêtue — c'est ce qui me frappa immédiatement le plus — d'une de ses propres robes de collection en soie bleu nuit étoilée, strass et satin, laine chinée et organza, qu'elle avait passée n'importe comment avant de quitter la chambre, sans l'agrafer à l'épaule, ni l'ajuster aux hanches (je ne l'avais jamais vue porter une de ses robes, et cela ne présageait rien de bon). Pas maquillée, la peau très blanche sous le cristal des lustres, des lunettes de soleil sur les yeux, elle fumait posément une cigarette. Tu es là ? dis-je en m'approchant d'elle. Elle me regarda avec une lueur d'amusement, et je lus un soupçon de supériorité méprisante dans son regard, qui semblait me dire qu'on ne pouvait décidément rien me cacher (oui, en effet, elle était là), mais qui voulait dire aussi, ou bien interprétais-je mal ce sourire en y débusquant de la malveillance alors qu'il n'y avait peut-être qu'un peu d'affectueuse moquerie, qu'elle n'en avait rien à foutre, de ma sagacité, et qu'elle y était même souverainement indifférente, à ma sagacité de merde. Ce qu'elle attendait de moi maintenant, ce n'était pas des preuves d'intelligence, encore moins des explications quelconques sur ce que nous venions de vivre de si brûlant dans la chambre, des arguties, des justifications ou des raisonnements, c'était que je l'embrasse, et c'est tout — et, pour cela, l'intelligence n'était d'aucun secours.

Marie continuait de me regarder, le visage intense et immobile, le corps paré de sa robe de collection en soie bleu nuit étoilée, strass et satin, laine chinée et organza, son manteau de cuir noir drapé à la manière d'un châle négligemment jeté sur ses épaules. Elle fumait en silence, dans une aura embrumée de mélancolie rêveuse qui paraissait sortir nonchalamment de ses lèvres pour partir en fumée vers le plafond. Tu t'es inquiétée ? dis-je. Elle ne répondit pas tout de suite, finit par faire oui de la tête, de mauvaise grâce, en bougeant à peine le cou, dans un léger tremblé des cheveux. Tu étais où ? dit-elle, et, comme je lui expliquais que j'étais monté au dernier étage de l'hôtel et que je m'étais baigné dans la piscine, je la vis sourire pensivement. Oui, je sais, je t'ai vu, me dit-elle au bout d'un moment. Tu m'as vu ? dis-je. Et elle me raconta alors qu'en sortant de la chambre pour aller chercher elle aussi le fax à la réception, ne m'ayant pas trouvé, elle avait quitté l'hôtel à ma rencontre. Je l'écoutais en silence, je ne comprenais pas où elle voulait en venir. Dehors, elle avait levé la tête pour regarder l'hôtel de l'extérieur, elle avait cherché notre chambre des yeux au seizième étage, toutes les lumières de l'hôtel étaient éteintes, tout le monde dormait. Elle s'était éloignée dans la nuit dans sa robe de collection, elle ne savait pas très bien où elle allait, elle errait au hasard au milieu de la chaussée, relevant encore la tête de temps à autre vers la façade lointaine de l'hôtel, lorsque son regard avait été attiré par la rotonde vitrée de la piscine au dernier étage, où il lui avait semblé voir quelqu'un se mouvoir fugitivement. Elle n'y avait pas vraiment prêté attention, mais, au moment de rejoindre l'hôtel, elle avait de nouveau levé la tête, et elle m'avait vu alors, elle m'avait vu distinctement derrière la vitre, elle était sûre que c'était moi, cette silhouette immobile dans la nuit parmi les gratte-ciel illuminés. Tu inventes, dis-je. Non, je n'invente rien, dit-elle. C'est toi qui invente, dit-elle.

Elle me sourit. Elle avait un sourire ambigu que je ne lui connaissais pas, un peu inquiétant, légèrement dingue. Viens, on sort, me dit-elle en se levant brusquement, je n'en peux plus, de cet hôtel. Viens, répéta-t-elle, en me prenant par le bras et m'entraînant vers la sortie. Je traînais des pieds derrière elle, tâchai de lui dire que nous n'étions pas habillés pour sortir, qu'on pourrait au moins repasser dans la chambre prendre un manteau, mais elle ne voulut rien savoir, elle m'entraîna vers la sortie en jetant sur mes épaules son grand manteau de cuir noir. Tiens, puisque tu as froid, mauviette, me dit-elle, et elle s'arrêta dans le hall pour me toiser et m'adresser un beau sourire vampant, d'ingénuité et de défi. Et, dans l'éclair de plaisir très vif qui brilla dans ses yeux, il me parut alors la retrouver soudain intégralement, imprévisible et fantasque, tuante, incomparable.

Nous passâmes les portes vitrées coulissantes qui s'ouvrirent automatiquement sur notre passage, et nous retrouvâmes dans l'air frais de la nuit sur le perron désert. Un taxi était garé à une dizaine de mètres de là, et nous attendîmes vaguement son arrivée en regardant autour de nous, mais il ne vint pas à notre rencontre (tout simplement parce que le chauffeur dormait, nous nous en rendîmes compte quelques instants plus tard, découvrant son corps allongé dans la pénombre, le siège rabattu en arrière). Nous pressâmes le pas pour descendre les quelques mètres du chemin privé de l'hôtel, et traversâmes la rue en courant la main dans la main, enjambâmes un minuscule parapet pour passer de l'autre côté de la chaussée, nous faufilant entre les branches d'un bosquet nain en nous écorchant les chevilles aux arbustes. Sans cesser de courir, j'avais enfilé le manteau de Marie, beaucoup trop petit pour moi, et j'avais pris Marie par l'épaule pour la réchauffer (la manche du manteau de cuir remontait sur mon avant-bras et m'étranglait l'aisselle). Marie se blottissait contre moi, la tête contre ma poitrine, de sorte que nous ne formions plus qu'un seul corps bicéphale étroitement imbriqué. Nous descendîmes au petit trot les escaliers d'une grande passerelle métallique qui faisait office d'écluse urbaine, séparant les différents paliers de la ville pour se trouver un niveau plus bas, dans une avenue tout aussi fantomatique et déserte qu'éclairait une rangée de réverbères qui traçait dans la nuit une ligne de lumière blanche piquetée. Arrivés en vue du Keio Plaza Hotel, dont l'entrée était illuminée de blanc et d'or, nous bifurquâmes dans une rue sombre, et, laissant peu à peu le Shinjuku des grands hôtels et des immeubles de bureaux derrière nous, nous gagnâmes un quartier plus animé, avec davantage de commerces et de petits restaurants, des courettes dans le noir, des lanternes et des idéogrammes aux enseignes, quelques caissons lumineux éteints dans la pénombre. Parfois, nous passions devant les néons blancs et roses d'une boîte de nuit ou d'un bar à hôtesse, où une grappe de personnes discutaient devant l'entrée, grande rousse vêtue d'un immense ciré rose, en minijupe et lèvres pâles, deux hommes émaciés en costume trois-pièces en conciliabule à ses côtés, et, plus loin, dans l'ombre, désœuvré près des poubelles, la maigre silhouette d'un vieil homme-sandwich dégarni et pensif, une pile de prospectus à la main. A mesure que nous avancions, le quartier s'animait et se transformait, il y avait de plus en plus de bars et de néons, des voitures qui roulaient au ralenti le long des trottoirs déserts, des odeurs de soupe et de tako-yaki, des sex-shops, des sous-sols sur lesquels veillaient des rabatteurs et des videurs, petits mecs en costumes croisés, ou gros avec des nattes, profils d'estampe et grosses doudounes noires rembourrées. Personne ne prêtait particulièrement attention à notre tenue, nous nous fondions dans la nuit et les excentricités de chacun, pas plus extravagants que d'autres, Marie vêtue d'une robe de collection à vingt mille dollars, toute simple, le dos nu, deux coups de crayons, le fuselage en soie noire et une hélice ventrale, qu'elle portait avec une simplicité confondante, lunettes noires sur le nez et ses mules roses de l'hôtel, et moi empêtré dans un manteau en cuir quatre fois trop petit pour moi qui me remontait au milieu des bras, pieds nus dans des savates de mousse d'hôtel humides et déjà tordues, la semelle tassée, écornée et brunie. Il faisait de plus en plus froid dans la rue, à peine quelques degrés au-dessus de zéro, nos mains étaient glacées et de la buée sortait de nos bouches, je sentais le corps de Marie trembler contre ma poitrine, la peau de ses avant-bras hérissée d'une sensuelle chair de poule. J'ai faim, dit-elle. Froid ou faim ? dis-je. Faim, dit-elle, froid et faim (allons manger, dit-elle).

Attirés par les lumières rougeoyantes de ses lanternes et la chaleur qui semblait régner à l'intérieur, nous étions entrés dans un petit restaurant de quartier qui servait des soupes à toute heure, salle minuscule et bondée, plutôt crasseuse, avec de larges tables en bois presque toutes occupées. Une rangée de tabourets sommaires courait le long du bar, où se tenaient quatre silhouettes de dos penchées en avant, un bol et des baguettes à la main, qui aspiraient bruyamment leurs nouilles, udon ou ramen, je ne sais pas, je ne leur avais pas demandé ce qu'ils mangeaient (encore que Marie l'eût souhaité, qui, me désignant ingénument leurs bols, eût voulu avoir la même chose qu'eux). Une vieille dame faisait la cuisine dans un réduit contigu que protégeait un petit rideau, précise et absorbée par sa tâche, rissolant je ne sais quoi dans un wok qu'elle secouait et renversait d'un geste brusque dans des marmites qui bouillaient sur des réchauds à gaz en répandant dans la salle une forte odeur de soja et de porc caramélisé. Nous avions commandé des soupes, que j'avais choisies au hasard sur la carte, en désignant du doigt les idéogrammes les plus appétissants au vieil homme chaussé de socques qui était venu prendre la commande, à la fois courtois, taciturne et indifférent. Il avait déposé sur notre table une minuscule serviette blanche tiédasse dans un plastique fripé et nous avait servi à chacun un verre d'eau en carafe avant de repartir. Marie, qui avait ôté ses lunettes noires qu'elle avait posées sur la table, me regardait, les yeux rougis de sommeil, pâles et fatigués, comme des étoiles éteintes fragilisées par la nuit, et elle me souriait gentiment, apparemment plus heureuse dans la fumée de ce boui-boui que dans les ors et le luxe de tous les palaces du monde, dont les fastes inutiles n'étaient que la pâle redondance de sa propre splendeur.

Assise en face de moi au fond du restaurant, Marie mangeait sa soupe sans faire de bruit, à l'occidentale, et non à la japonaise, le bol à la main, en faisant remonter les nouilles par paliers avec les baguettes avant de les engloutir bruyamment dans une aspiration précipitée. Non, elle allait à la pêche aux udons, plutôt, et faisait peine à voir (ou plaisir, c'était selon), qui touillait mollement sa soupe une baguette dans chaque main, à la manière d'un chef d'orchestre accablé, dyslexique et ambidextre. Elle finit par abandonner la partition à mi-repas, découragée, repoussant son bol devant elle sur la table. Je crois que c'est toi qui as mes cigarettes, me dit-elle, elles sont dans mon manteau, et, sans attendre de réponse, s'avançant vers moi par-dessus la table, elle alla fouiller dans les poches de son propre manteau que je portais toujours en m'entourant le corps de ses bras, et se mit à en sortir divers objets, qu'elle posa au fur et à mesure devant nous sur la table, une grande enveloppe blanche pliée en deux qui devait contenir le fax, des petites boules de mouchoirs froissés humides de ses larmes, un bâton de rouge à lèvres dans son cylindre doré, deux ou trois billets de dix mille yens enroulés et un paquet de Camel mal en point, dont elle sortit une cigarette fripée, chancelante et à moitié brisée, avec son nez de Concorde. C'est le fax ?

dis-je en désignant du regard la grande enveloppe pliée en deux qu'elle avait posée sur la table. Je peux ? Elle fit oui de la tête en allumant sa cigarette. J'ouvris pensivement l'enveloppe, fis glisser les deux pages de télécopie qu'elle contenait pour apercevoir aussitôt l'en-tête de la maison de couture *Allons-y, Allons-o*, et son logo stylisé, en ombres chinoises, d'un couple qui s'encourait. Je sortis les feuillets de l'enveloppe et les parcourus du regard, des chiffres, des résultats d'exploitation récents, une dernière mise à jour de son programme de Tokyo, dates des expositions et des défilés, rien que de très ordinaire, le fax avait été expédié de Paris à dix-neuf heures vingt, ce qui était une heure normale pour envoyer un fax (même si cela avait été une heure désastreuse pour nous qui l'avions reçu).

Marie, en face de moi, qui tombait de fatigue, avait allumé une nouvelle cigarette au mégot de la précédente, et, les bras nus, jouant avec le flacon de soja qu'elle faisait tourner entre ses doigts sur la table, me faisait part de ses inquiétudes pour l'exposition d'art contemporain qu'elle devait inaugurer le week-end prochain à Shinagawa. Ce matin, quand nous étions arrivés à Tokyo, par une confusion regrettable due aux nombreux changements de vols que Marie avait effectués jusqu'au dernier moment, personne n'était venu nous attendre à l'aéroport. Nous nous étions retrouvés seuls dans le grand hall de réception des bagages de Narita à réunir nos cent quarante kilos de bagages répartis en diverses malles et cantines, cylindres à photos et cartons à chapeaux, qui tournaient sur le tapis à bagages et que nous réceptionnions pour les entasser sur trois ou quatre chariots, guettant sans relâche l'hypothétique arrivée de renforts qui ne parurent jamais. Finalement, nous fûmes obligés de gagner l'hôtel par nos propres moyens, dans deux taxis distincts, nous en occupions chacun un, image emblématique de notre arrivée au Japon, les deux voitures se suivaient au ralenti dans le pâle soleil grisâtre des embouteillages matinaux des autoroutes urbaines surélevées de la baie de Tokyo. Arrivée à l'hôtel, épuisée et hors d'elle, Marie, une liasse de fax et de courriers électroniques à la main, avait joint au téléphone les différents responsables de son voyage, chacun se confondant en excuses mais se renvoyant la responsabilité du malentendu, l'organisation du voyage étant en effet tricéphale du côté japonais, *Allons-y Allons-o*, *Contemporary Art Space* pour l'exposition et *Spiral* pour le défilé de mode (sans compter une jeune chargée de mission auprès de l'ambassade de France qui prétendait également ajouter son grain de beauté à l'incurie du triumvirat). Pour finir, envoyant tout le monde paître, Marie avait dit qu'elle allait dormir et qu'elle ne voulait plus être dérangée avant le lendemain matin (mais, le lendemain matin, c'était maintenant, c'était précisément maintenant, mon amour).

Et, malgré mon immense fatigue, je me mis à espérer que le jour ne se lève pas à Tokyo ce matin, ne se lève plus jamais et que le temps s'arrête là à l'instant dans ce restaurant de Shinjuku où nous étions si bien, chaudement enveloppés dans l'illusoire protection de la nuit, car je savais que l'avènement du jour apporterait la preuve que le temps passait, irrémédiable et destructeur, et avait passé sur notre amour. Le jour n'allait pas tarder à se lever, et, comme je me tournais vers la rue, je me rendis compte qu'il neigeait, d'imperceptibles flocons de neige passaient latéralement devant la vitre et disparaissaient dans la nuit, emportés par le vent. De l'endroit du restaurant où nous nous trouvions, on ne voyait dans l'encadrement de bois de la fenêtre qu'un fragment de rue partiel et incohérent qui donnait sur un immeuble dans la pénombre, avec des fils électriques mystérieux et une colonne de lumière qui montait à la verticale le long de la façade, composée de sept ou huit caissons lumineux superposés qui annonçaient la présence de bars à chaque étage du bâtiment. Je regardais la neige tomber en silence dans la rue, légère et impalpable, qui s'accrochait aux néons et aux contours des lanternes de papier, sur le toit des voitures, aux œillets de verre qui retenaient les fils des poteaux télégraphiques. Et cette neige me paraissait être une image du cours du temps — quand elle traversait la clarté d'un réverbère, les flocons tourbillonnaient un instant dans la lumière comme un nuage de sucre glace dissipé par un souffle invisible et divin — et, dans l'impuissance immense que je ressentais à ne pouvoir empêcher le temps

70

de passer, je pressentis alors qu'avec la fin de la nuit se terminerait notre amour.

En sortant du restaurant, les trottoirs étaient noirs et luisants, parsemés de givre et de neige fondue. Les sandales de mousse que j'avais aux pieds me protégeaient à peine de l'humidité, et il n'était pas rare en traversant une rue que je sentisse de petites éclaboussures glaciales de neige fondue sur mes chevilles ou mes pieds nus. Marie me précédait dans une ruelle sombre, les épaules et les bras nus dans sa robe de soie. Elle ne semblait pas avoir particulièrement froid, mais je préférai quand même la rejoindre et lui rendre son manteau, je me débarrassai du vêtement et le posai avec soin sur ses épaules pour les recouvrir le mieux possible. La neige, qui s'était arrêtée un instant, se remit à tomber, d'abord quelques flocons épars, comme hésitants, simple crachin désagréable et glacial, puis de nouvelles véritables chutes de neige, qui recouvrirent en quelques instants les trottoirs d'une fine pellicule de poudre cristalline. Nous avions trouvé refuge sous l'auvent de bois d'une échoppe d'artisan, et nous regardions la neige tomber à gros flocons devant nous dans la nuit. Parfois, bravant l'averse, je me risquais jusqu'au milieu de la chaussée et je levais la tête, restant là immobile au cœur du rideau de flocons silencieux qui tombaient avec langueur dans la ruelle, et je scrutais longuement le ciel, qui commençait à se déprendre de la nuit et virait à un grisâtre diurne, auquel de gros nuages de neige donnaient quelques reflets jaunâtres. J'étais tellement épuisé que je ne ressentais plus ni le froid ni la fatigue. Je fis quelques pas dans la neige fondue jusqu'au carrefour voisin, le visage enneigé et les pieds rougis de froid dans mes fragiles sandales, et je m'arrêtai devant un gros distributeur de boissons qui se dressait dans la pénombre. J'examinai un instant distraitement les canettes qu'il contenait, boissons froides et chaudes, différentes sortes de café et de thé, et sortis quelques pièces de ma poche, demandai à Marie si elle voulait boire quelque chose. Oui, je veux bien, me dit-elle. Marie était restée à l'abri de l'auvent, et je la regardais à distance, très belle dans sa robe de soie bleu nuit étoilée dans la nuit enneigée, le visage baigné par les lueurs fauves d'une lanterne toute proche. Elle se tenait là debout, les yeux dans le vague, sous le porche de cette boutique en bois abandonnée aux volets fermés, et elle regardait tristement devant elle, les cheveux mouillés et le visage parsemé de vestiges de neige fondue. Je fis glisser les pièces dans la fente du distributeur, et la rejoignis en progressant prudemment sur le trottoir avec deux canettes de capuccinos brûlants.

Il était un peu plus de cinq heures du matin, et nous buvions des capuccinos sous l'auvent de bois d'une échoppe d'artisan, en regardant la neige tomber devant nous dans la ruelle. Malgré le froid intense, je me sentais étrangement bien, et Marie, qui buvait son capuccino à petites gorgées précautionneuses pour ne pas se brûler les lèvres, releva les yeux vers moi et me sourit. Je répondis à son sourire et avançai prudemment ma canette vers la sienne pour l'inviter à trinquer, et, passée sa première surprise — elle resta un instant interdite, comme devant un geste inexplicable, une inconvenance, une offre inattendue de douceur et de grâce —, elle me dévisagea avec gravité, me scruta intensément du regard, avant de laisser tomber sa tête sur mon épaule et de trinquer avec moi avec beaucoup de féminité et d'abandon, heurtant ma canette avec délicatesse, avec reconnaissance, beaucoup plus gravement qu'il n'eût fallut, tendrement, amoureusement.

Nous nous étions remis en route, nous marchions sans plus nous préoccuper de la neige, qui continuait de se déposer en silence sur nos épaules et sur nos bras. Nous cherchions à regagner l'hôtel, mais cela faisait plusieurs carrefours que nous passions sans retrouver notre chemin. Nous avancions ainsi à l'inconnu dans de sombres ruelles quand nous aperçûmes sur le trottoir d'en face la cage de verre illuminée d'un petit supermarché ouvert vingt-quatre heures sur vingt-quatre, à l'enseigne bleue et blanche de Lawson qui brillait dans la nuit. Nous allâmes nous abriter un instant à l'intérieur, passant sans transition de la pénombre bleutée de la nuit à la violente clarté intemporelle d'un plafonnier de néons blancs. Je jetai un coup d'œil distrait sur les deux seuls clients qui se trouvaient dans le magasin, un jeune homme en col roulé orange et petit bonnet rasta qui feuilletait un magazine devant le présentoir de journaux, et un salarié sans âge, les chaussures mouillées et le front humide, qui contemplait dubitativement les étagères presque vides du compartiment réfrigéré en s'emparant de temps à autre de quelque ravier sous cellophane rempli de filaments d'algues noires ou de lamelles de champignons, approchant la barquette en plastique de ses yeux et soulevant ses lunettes pour lire quelque chose sur l'étiquette, la date d'emballage ou l'origine du produit, avant de reposer la barquette où il l'avait trouvée. Marie s'était arrêtée au rayon des confiseries, et regardait les paquets de gâteaux avec une certaine apathie, passait sans transition d'un rayon à l'autre, s'attardait devant des rayonnages de soupes instantanées, de sachets de nouilles aux emballages colorés. Elle tenait son manteau mouillé sur un coude, et, ayant remis ses lunettes de soleil pour se préserver de la lumière trop vive du magasin, elle se promenait en bâillant entre les rayons sous les yeux indifférents des caissières, qui suivaient d'un air morne la nonchalante progression du splendide équipage de sa silhouette bleue nuit étoilée dans les allées désertes de ce supermarché.

Aucune lueur de l'aube n'était encore visible quand nous quittâmes le magasin, et, si le quartier s'éveillait, c'était encore lentement, par petites touches imperceptibles, une ampoule qui s'allumait çà et là derrière les stores en bois d'un rez-de-chaussée, un vieil homme chaussé de getas traditionnelles qui apparaissait sur le pas d'une porte et allait retirer les volets amovibles d'une échoppe. Une voiture de la voirie avançait au ralenti sous la neige au milieu de la chaussée, dont le gyrophare orange jetait ses lueurs allongées sur le haut des façades. Nous avions acheté un parapluie transparent et des chaussettes de tennis en laine blanche au supermarché (en lot de trois, identiquement rayées d'un double liseré rouge et bleu, et nous en avions immédiatement passé chacun une paire pour nous protéger du froid), et nous avancions au hasard dans les ruelles, les pieds de nouveau au chaud, serrés l'un contre l'autre sous le frêle parapluie transparent.

Finalement, nous débouchâmes sur une grande artère déjà très animée, où, dans une lumière de nuit à laquelle les chutes de neige donnaient des allures féeriques, les voitures patinaient sur place dans le brouillard dans un ballet de phares et de feux de position. Quelques taxis isolés, aux carrosseries acidulées, vert intense, orange métallisé, progressaient au ralenti dans une soupe de boue et de neige fondue qui clapotait mollement sous les éclaboussures des pneus. A chaque coup de frein, les lunettes arrières des voitures s'allumaient en jetant de dramatiques lueurs rouges alentour dans la nuit. Partout, sur la grisaille des façades encore nappées d'obscurité, brillaient des enseignes de néons imbriquées et superposées, un enchevêtrement de panneaux où couraient des inscriptions en katakanas, d'indéchiffrables colonnes d'idéogrammes qui se mêlaient parfois à quelques caractères familiers, tels ceux d'une enseigne publicitaire géante fixée au flanc d'une passerelle métallique qui surplombait l'avenue et attirait l'œil par sa saisissante injonction : VIVRE. De nombreux magasins et cafés étaient déjà ouverts le long de l'avenue, et une foule pressée s'écoulait sur le trottoir, qui semblait fluide et glissait comme un torrent impétueux qui charriait dans son cours un flux ininterrompu de piétons dans un ondoiement d'anoraks sombres et transparents, de parkas, de pardessus et de parapluies. Nous nous étions fondus dans le mouvement de la foule et suivions le courant sous notre étroit parapluie transparent, l'extravagance de notre tenue à peine remarquée par quelques regards qui se posaient sur nous à la dérobée, moi en simple tee-shirt sous la neige, et Marie les épaules nues dans sa robe de collection, ses mules en cuir rose pâle agrémentées depuis peu d'une grosse paire de chaussettes de tennis.

Il se produisit alors un incident mineur, qui aurait pu rester sans conséquence, mais qui, dans l'état d'extrême fatigue dans lequel nous nous trouvions, fut le détonateur d'une crise aussi brève que brutale. Je m'étais avancé vers le bord de la chaussée pour héler un taxi dans la circulation (même si nous n'étions sans doute plus qu'à quelques minutes à pied de l'hôtel, je trouvai préférable d'en finir au plus vite), et un taxi, obéissant aussitôt à mon injonction, avait quitté la file centrale pour venir se garer devant nous sur le trottoir, la portière arrière s'ouvrant automatiquement dans un même mouvement simultané. Gardant le parapluie ouvert à l'extérieur du véhicule, j'avais passé la tête dans l'habitacle — c'était sans doute une erreur, j'aurais mieux fait de m'installer immédiatement dans la voiture — pour indiquer le nom de l'hôtel au chauffeur, le répétant deux ou trois fois en précisant l'adresse telle qu'elle était indiquée sur la carte de visite que j'avais en ma possession, 2-7-2, Nishi-Shinjuku, Shinjuku-ku. Le chauffeur, placide derrière sa vitre transparente, m'avait jaugé du premier coup d'œil — l'accent, la mine, la tenue vestimentaire — et, avec un sourire impuissant, m'avait éconduit sans autre forme de procès, et la portière s'était refermée toute seule sous mon nez, tandis que la voiture redémarrait déjà dans le brouillard en me laissant désemparé sur le trottoir, à méditer ma déconvenue.

Furieux et impuissant, j'avais alors hélé un autre taxi, n'importe comment, sans conviction, en levant à peine le bras, il était impossible qu'un chauffeur m'aperçût, et lorsque Marie, derrière moi, les mains autour des bras, transie de froid sur le trottoir, lasse d'attendre et exaspérée de mon inefficacité, m'avait fait remarquer d'une voix aigre que, si je ne hélais que des taxis occupés, nous n'étions pas rentrés à l'hôtel, je m'étais tourné vers elle et lui avais dit de fermer sa gueule. Elle n'avait rien répondu. Immobile, les mains autour des bras, rapace effarouché, les yeux intenses, elle m'avait foudroyé du regard. J'étais revenu vers elle en pataugeant dans mes sandales en mousse qui prenaient l'eau de toutes parts, l'épaisseur des chaussettes était telle que je ne parvenais pas à entrer entièrement le pied dans la pantoufle, de sorte que mon talon restait en rade à l'extérieur et s'enfonçait à chaque pas davantage dans la neige, et merde. Nous avions marché quelques minutes ainsi sans un mot, et, au premier mot de Marie — me reprochant encore quelque chose, ou se plaignant, je ne sais pas, peu importe, rien que le son de sa voix m'était devenu insupportable — j'avais accéléré le pas et l'avait plantée là dans l'avenue. Laisse-moi au moins le parapluie, avait-elle crié tandis que je prenais le large dans la foule. J'étais revenu vers elle et lui avais tendu le parapluie, un peu trop vivement, peut-être, ou l'avait-elle mal intercepté, je ne sais pas, mais il était tombé par terre, entre nous, en appui sur ses baleines, à la renverse dans la neige.

Ramasse-le, dit-elle. Je ne dis rien. Ramasse-le, répéta-t-elle. Je la regardai dans les yeux, lui plantai mon plus mauvais regard dans les yeux. Je ne bougeais pas. Nous étions arrêtés sur le trottoir, de chaque côté du parapluie renversé dans la neige, des gens passaient à côté de nous en se demandant ce qui se passait, nous regardaient un instant et poursuivaient leur route, parfois se retournaient pour nous jeter un ultime regard. Je ne bougeais pas. Je ressentais des picotements aux tempes, j'avais envie de la frapper. Nous étions immobiles à quelques mètres de l'entrée d'un café, dont le store de toile dégouttait lentement de neige fondue. Des gens attablés dans l'étroit local nous voyaient à travers la vitre, je sentais leurs regards, je sentais leurs regards posés sur nous. Ni Marie ni moi ne bougions. Il était impossible, de toute façon, qu'un de nous ramasse jamais ce parapluie à présent. Je parvins à reprendre mes esprit, et je fis demi-tour, me remis en route sans un mot. Marie me suivit, et nous poursuivîmes notre chemin sur l'avenue, laissant derrière nous ce parapluie transparent ouvert sur le trottoir, renversé, abandonné dans la neige.

Nous continuions à avancer dans la foule, marchant d'un même pas, apparemment ensemble, les chaussettes en laine blanches assorties dans nos sandales avec leur identique et dérisoire liseré rouge et bleu à la cheville, mais chacun dans ses réflexions mauvaises et sa macération de l'incident. Nous ne disions rien — nous ne nous parlions plus. De temps à autre, furtivement, je la regardais. Peu importe qui était dans son tort, personne sans doute. Nous nous aimions, mais nous ne nous supportions plus. Il y avait ceci, maintenant, dans notre amour, que, même si nous continuions à nous faire dans l'ensemble plus de bien que de mal, le peu de mal que nous nous faisions nous était devenu insupportable.

Nous nous étions arrêtés sur un pont, et je regardais le jour se lever devant moi. Le jour se levait, et je songeais que c'en était fini de notre amour, c'était comme si je regardais notre amour se défaire devant moi, se dissiper avec la nuit, au rythme quasiment immobile du temps qui passe quand on en prend la mesure. Le plus frappant, à observer ainsi les imperceptibles variations de couleur et de lumière sur les tours de verre bleutées de Shinjuku, c'est que le passage au jour me paraissait davantage être une question de couleur que de lumière. Ayant à peine perdu de son intensité, l'obscurité était simplement en train de passer du bleu intense de la nuit à la grisaille terne d'un matin neigeux, et toutes les lumières que j'apercevais encore au loin, gratte-ciel illuminés aux abords de la gare, traînées des phares des voitures sur les avenues et sur les arrondis de béton des autoroutes urbaines, boules des lampadaires et néons multicolores des magasins, barres de lumières blanches aux vitres des immeubles, continuaient à briller dans la ville comme au cœur même d'une nuit maintenant diurne.

Marie se tenait en silence à côté de moi, et nous demeurions immobiles, comme figés sur cette passerelle métallique réservée aux piétons, qui surplombait en à-pic les voies ferrées qui menaient à la gare de Shinjuku. En contrebas, tout au long du ballast, c'était un fouillis de lignes électriques et de câbles à haute tension, de caténaires, de rampes métalliques qui surplombaient les voies. A intervalles réguliers, précédée d'un grondement qui faisait vibrer le pont, surgissait une rame de métro illuminée bondée de voyageurs, parfois un train de marchandises, et de nouveau un monorail blanc qui filait d'un seul trait dans la pâle lumière du jour. Aux abords de la gare de Shinjuku, que nous apercevions au loin, des milliers de personnes se pressaient sous la neige autour de l'entrée principale du bâtiment dans une gigantesque marée de parapluies qui semblait mue par de lents courants contradictoires, une partie s'engouffrant dans la gare et une autre en sortant, tandis que de multiples sous-courants paraissaient se constituer, de gens isolés qui se frayaient un passage à contresens pour se rendre aux guichets ou sortir des bouches de métro. Plus loin, s'élevait un îlot de hautes constructions métalliques, d'hôtels et de grands magasins, aux toits en terrasse chargés de néons et d'antennes, le haut des façades parsemés d'écrans géants qui diffusaient de muettes publicités aux couleurs délavées dans la nuit finissante. Nous nous étions remis en route, toujours sans un mot, et nous n'avions pas encore quitté le pont que, me tournant vers Marie qui marchait à côté de moi en silence dans le crachin glacé de neige fondue qui continuait de tomber sur la ville, je m'apprêtais à avoir un geste envers elle, lui toucher le bras ou lui prendre la main, quand j'eus le sentiment que ma tête vacillait, et, dans le prolongement même de ce vertige, le grondement d'un train invisible commença à tout faire trembler sur son passage en secouant bruyamment les grillages métalliques du parapet du pont qui se mirent à trembler de bas en haut à côté de moi dans des gerbes d'étincelles bleuâtres et des éclairs de feu que je vis soudain sortir de la boîte d'un générateur en contrebas qui implosa sur place dans une épaisse fumée noire qui se mit à s'élever sur les voies ferrées où un train lancé à pleine vitesse freinait en catastrophe pour essayer de s'arrêter, tandis que, dans le rapide regard circulaire que je jetai derrière moi sur le pont au milieu des lumières des lampadaires qui vacillaient, je vis les passants qui tanguaient comme sur le pont d'un navire soulevé par une vague énorme, brève et violente, certains perdant l'équilibre et luttant pour garder leur trajectoire en accélérant comme s'ils se précipitaient à la poursuite de leur parapluie, d'autres s'accroupissant, la plupart s'arrêtant sur place, comme figés, paralysés, se protégeant la tête avec un bras, avec leur serviette, leur mallette. Et ce fut tout, ce fut absolument tout. Ce ne fut rien d'autre. A peine trente secondes, une minute plus tard, passé un moment de panique et d'attente, très dense, où il ne se passa plus rien et où personne ne bougeait, chacun se regardait, un cartable tombé par terre ici et là, encore accroupis, livides, mouillés de neige, encore prêts à se protéger et à se recroqueviller davantage, s'attendant au pire, à une réplique immédiate, beaucoup plus forte peut-être — c'était la deuxième fois que la terre tremblait en quelque heures, et cela pouvait reprendre à

tout instant, la menace était désormais perma-
nente —, les gens se relevèrent peu à peu et
s'éloignèrent, se dispersèrent sur le pont, tandis
qu'un chien invisible aboyait au loin dans le
matin grisâtre.

Et Marie, dans un cri étouffé, se précipita
dans mes bras et se mit à trembler de tous les
membres.

Nous fîmes quelques pas, hagards, les vêtements mouillés, avec nos pantoufles tordues et
nos chaussettes en laine blanche assorties, et
nous trouvâmes refuge dans un renfoncement
du pont, une sorte de niche arrondie qui menait
à un escalier de secours métallique très abrupt
qui descendait vers les voies ferrées. Marie pleurait. Elle pleurait contre moi, elle était secouée
de sanglots, elle se blottissait de toutes ses forces
dans mes bras, les membres tremblants, mouillée de larmes et de neige. La peur extrême
qu'elle avait ressentie, la fatigue, l'épuisement,
l'exacerbation de tous ses sens depuis le début
de la nuit se traduisit alors par un besoin irrépressible de réconfort, une brûlante envie

d'union des corps et d'abandon. Marie, dans mes bras, en pleurs, la robe mouillée, les cheveux mouillés, approchait ses lèvres très près de ma bouche et me demandait en tremblant pourquoi je ne voulais pas l'embrasser, et, la gardant dans mes bras, je répondais à voix basse en lui caressant les épaules et les cheveux pour l'apaiser que je n'avais jamais dit que je ne voulais pas l'embrasser, que je n'avais jamais dit ça. Mais je ne l'embrassais pas, je ne me penchais pas vers elle pour l'embrasser, et la caresser, la calmer et l'empêcher de pleurer, et c'était toujours la même question et la même réponse, exactement le même dialogue que quelques heures plus tôt à l'hôtel, et ce fut avec la même véhémence, la même détresse dans la voix, qu'elle s'écria de nouveau en relevant la tête vers moi : Mais pourquoi tu ne m'embrasses pas, alors ? Et je ne répondis pas, je ne savais que répondre, je me souvenais très bien de la réponse que je lui avais faite alors, mais je ne pouvais pas lui dire maintenant que je ne voulais ni l'embrasser ni *ne pas* l'embrasser après les instants dramatiques que nous venions de vivre, elle aurait bondi, elle se serait révoltée, elle m'aurait frappé, elle m'aurait griffé le visage. Dans la détresse qui l'avait jetée dans mes bras, c'était la chaleur de mon corps qu'elle était venue chercher, pas la souplesse de ma dialectique, elle n'en avait rien à foutre de mes mots et de mes raisonnements, ce qu'elle voulait, c'était un élan du cœur, l'élan de mes mains et de ma langue, de mes bras autour de ses épaules, mon corps contre son corps. Je ne l'avais pas compris, ça ? Et pourtant dieu sait combien j'avais envie de l'embrasser maintenant — et tellement plus maintenant que nous nous séparions pour toujours que la première fois que je l'avais embrassée. Et je compris alors, tandis qu'elle se blottissait toujours plus fort contre moi, que le désir charnel resté inassouvi après notre étreinte de cette nuit, notre étreinte incomplète de cette nuit, interrompue, inaboutie, avait maintenant besoin d'un exutoire pour qu'elle puisse libérer les tensions qu'elle avait accumulées. Il fallait, pour venir à bout de son épuisement, pour relâcher ses membres et apaiser ses nerfs, qu'elle jouisse, qu'elle jouisse sur-le-champ, et j'eus alors le sentiment que c'était une femme inconnue que j'avais dans les bras, qui se collait contre moi, mouillée de désir et de larmes, ses hanches s'enroulant contre mon ventre avec une détermination mauvaise à la recherche de la jouissance, la violence de son désir me faisait peur, je la sentais chercher ma bouche en haletant contre mon oreille, le souffle court, gémir comme si nous faisions l'amour parmi la foule qui continuait de passer près de nous sur le pont. La terre venait de trembler, et, indifférente aux passants, Marie se serrait contre moi en frottant lascivement son sexe contre ma cuisse, soulevant fiévreusement mon tee-shirt pour me masser le ventre en me plaquant contre le parapet, puis elle saisit ma main et la guida sous sa robe, la fit remonter le long de sa cuisse et je sentis alors le contact brûlant de sa chair nue, je sentis, dans ce corps froid et mouillé de neige qui se collait contre moi en tremblant, le contact incroyablement chaud de la chair de sa cuisse et la proximité ardente de son sexe mouillé de désir, j'avais enfoncé la main dans son slip et je sentais maintenant sous mes doigts la douceur humide et électrique de l'intérieur de son sexe qui se contractait sous ma main, le jour se levait et je la désirais très fort moi aussi maintenant, je me collais contre elle dans les clartés du jour naissant, je caressais son sexe, je pétrissais ses fesses. Le jour se levait sur Tokyo, et je lui enfonçais un doigt dans le trou du cul.

II

De retour à l'hôtel — je nous revois au petit matin traverser fugitivement le grand hall déjà bruissant d'hommes d'affaires pour rejoindre les ascenseurs, la peau rougie de froid, la robe de Marie froissée et à moitié écorchée à la cuisse, nos chaussettes de tennis blanches assorties aux chevilles —, dans l'état de fatigue et de délabrement physique que nous avions atteint, nous nous sommes immédiatement laissés tomber tout habillés sur le lit. Il faisait jour et une grisaille affreuse de lendemain de nuit blanche régnait dans la chambre. Marie avait fait couler un bain chaud, et attendait qu'il se remplisse allongée sur le lit les yeux ouverts, épuisée, sans bouger, sans parler. Notre fatigue était telle que nous avons failli entrer tous les deux dans la baignoire quand le bain fut coulé, mais, après une brève altercation dans la salle de bain, plutôt facétieuse et comique, un ballet de gestes tendres et somnambuliques sur le carrelage, nous nous sommes partagés les lieux, Marie a pris la baignoire et j'ai choisi la douche. La tête levée et les yeux fermés, je laissais couler une eau tiède sur mon corps meurtri, endolori de froid, mon corps de naufragé qui retrouvait peu à peu une température normale. J'étais nu, la tête levée sous le jet, dans la cabine de douche aux parois embuées, et je voyais Marie allongée dans la baignoire, nue et immobile, un gant de toilette sur le visage, blanc et affaissé, d'où montait d'évanescentes volutes de vapeur. Elle portait une charlotte transparente sur les cheveux, en coiffe, tel un chou-fleur amolli, et ses mains, au ralenti, presque inconsciemment, faisaient clapoter doucement la surface de l'eau.

A neuf heures — 8.57 a.m. exactement, comme l'indiquait le radioréveil de la chambre en chiffres rouges de cristaux liquides finement pointillés — le téléphone a retenti dans l'obscurité.

96

Les lourdes tentures étaient tirées dans la chambre, et nous dormions chacun d'un côté du lit dans un sommeil profond. Marie, les lunettes de soie de la Japan Airlines sur les yeux, se retourna simplement dans les draps, le front en sueur, chaudement emmitouflée dans un gros pull marin qu'elle avait passé par-dessus sa chemise de nuit pour emmagasiner le plus de chaleur possible. C'était une sonnerie répétitive et agressive. Je finis par décrocher et, au bout d'un long moment, pendant lequel j'essayais de comprendre où je me trouvais, je dis « oui » à voix basse. Une voix japonaise, un peu déstabilisée et altérée par l'émotion, se lança dans une longue phrase enrobée de politesses, d'où il ressortait que c'était Yamada Kenji et qu'il nous attendait comme convenu à neuf heures à la réception en compagnie de messieurs Maruyama, Tanaka, Kawabata et Morita. Que répondre à cela ? Je ne dis rien, je jetai un coup d'œil sur les robes de Marie qui nous entouraient, pendues aux ombres des portants dans les profondes ténèbres de la chambre où les rideaux étaient fermés. Je sentis un moment de flottement à l'autre bout de la ligne, l'amorce d'un conciliabule, des chuchotements. Un instant, s'il vous plaît, me dit mon interlocuteur. Je ne disais toujours rien. Je n'avais encore rien dit (à part « oui »), et, n'en disant pas plus, d'ailleurs, d'une main épuisée, je raccrochai.

J'eus à peine le temps de me rendormir, et je n'avais même pas essayé de réveiller Marie pour l'informer du coup de téléphone, que le téléphone — 9.04 a.m. — se remit à sonner. Retentissant de façon saccadée dans l'obscurité de la chambre, l'appareil se trouvait de mon côté du lit, et, au bout d'un moment, dans un gémissement qui semblait demander grâce, Marie se rapprocha de moi sous les draps, se colla contre mon corps et tendit un bras dans le vide en direction de la table de nuit. J'achevai son geste, décrochai pour elle et lui tendis le combiné. Elle fut encore plus minimaliste que moi, car, le combiné à la main, elle ne dit ni « allô » ni « oui », elle ne dit rien, témoignant simplement de sa présence par un léger infléchissement de la respiration. Puis, toujours silencieuse — elle releva d'une main paresseuse ses lunettes de soie de la Japan Airlines sur son front, et je voyais son visage ensommeillé écouter dans la pénombre, je regardais ses yeux qui semblaient s'animer à mesure qu'elle prenait connaissance de ce qu'on lui disait, nous échangeâmes même un bref regard de connivence — elle acquiesça une ou deux fois, puis, d'une voix lasse, dit que c'était entendu, qu'elle arrivait. Elle raccrocha. Elle resta encore un long moment dans le lit, indécise (peut-être même sur le point de se rendormir), puis, se levant, pieds nus, un filet de chemise de nuit blanche dépassant sous son gros pull marin, elle alla entrouvrir les tentures, revint près de moi en bâillant pour consulter le classeur de cuir épais qui contenait la liste des services et des numéros de téléphone de l'hôtel. Pensive, elle s'assit sur le bord du lit, enfonça deux touches sur le clavier du téléphone, et, d'un ton précis, en anglais, dit qu'elle avait des bagages à faire descendre à la réception. Elle erra ensuite ainsi dans la chambre, les lunettes de la Japan Airlines relevées sur le front, alla inspecter ses caisses, vérifia les étiquettes, referma celles qui avaient été ouvertes. Elle retira une par une avec soin les robes qui pendaient aux portants de voyage et les déposa un instant sur le lit, comme en transit, ouvrit une malle et commença à plier les robes, à les ranger. Sur le bras d'un fauteuil, je voyais sa robe en soie bleu nuit étoilée, disloquée et exsangue, fanée, déchirée à la cuisse, qui paraissait à présent éteinte dans la grisaille du jour.

Cela faisait maintenant vingt-quatre heures, presque heure pour heure, que nous étions arrivés au Japon et, regardant toutes ces caisses que Marie préparait et refermait pour les faire descendre à la réception, je me souvenais de l'inquiétude que j'avais éprouvée la veille au passage de la douane quand les douaniers nous avaient arrêtés pour contrôler nos bagages — et la peur, très vive, que j'avais ressentie qu'ils pussent découvrir l'acide chlorhydrique que je transportais. Mon cœur battait très fort chaque fois que le douanier désignait un nouveau bagage sur un de nos chariots et nous priait de l'ouvrir. Et, dans cette caisse-là, qu'est-ce qu'il y a ? demandait-il d'un simple geste, sans un mot. *A dress,* dit Marie. *Please open,* dit le douanier. *It is a dress,* répéta-t-elle, légèrement agacée. *Please open,* répéta le douanier, sans se départir de sa politesse, avec un soupçon de fermeté supplémentaire. La série de quatre crochets latéraux défaits, Marie souleva le couvercle en osier de la cantine sur le comptoir des douanes, avec le même entrain que si elle avait dû desceller là le cercueil d'un ami mort dont on eût rapatrié le cadavre après un accident de la route à l'étranger. L'intérieur de la caisse avait du reste des allures de linceul, dans lequel reposait un corps transparent et tubulaire, décapité et sans jambe, qui baignait dans un lit de kapok rembourré de mousses, de pare-chocs et de coins. Corps purement virtuel, éviscéré et asexué, il se tenait là alangui sur son coussin de mousse, et portait une création récente de néon rose en spirale ascendante, cintrée à la taille, plus ample à la poitrine, qui montait en colimaçon tout le long de son corps inexistant jusqu'à un décolleté béant, d'où dépassaient, bien enveloppés dans divers petits sachets en plastique, un réseau de fils électriques et de prises de courant. *A dress ?* dit le douanier. *A dress,* dit Marie à voix basse. *A sort of dress,* convint-elle, plus très persuadée maintenant, plus très convain-

cue, sous le regard de ce douanier, de l'univer-
salité des mots, des valeurs et des choses.

Les bagagistes s'étaient présentés à la porte
de notre chambre, et Marie les avait fait entrer,
deux jeunes employés de l'hôtel en livrée noire
et boutons dorés, une petite toque noire sur la
tête qui leur donnait des allures de fusiliers
marins. Marie, en pull marin elle aussi, comme
si nous étions en croisière dans une cabine de
luxe d'un navire de plaisance (j'étais resté couché dans le lit, et je regardais cette scène irréelle
se dérouler devant mes yeux), les avait guidés
dans la pièce, et leur avait désigné les malles
qu'il fallait descendre et celles, plus rares, qui
pouvaient rester. Les bagagistes s'étaient mis au
travail, et, de mon lit, je les voyais évoluer furtivement dans la pièce avec une discrétion
ostensible, s'arrêtant pour laisser passer Marie
qui continuait d'aller et venir et de remplir des
caisses, anticipant des yeux sa trajectoire, soulevant sans bruit les malles et les valises, qu'ils
emportaient dans le couloir, où il chargeaient
au fur et à mesure plusieurs grands chariots
dorés. Je finis par me lever et, les croisant dans

la chambre d'une démarche mal assurée, je me rendis dans la salle de bain. Mon visage, dans le miroir, était méconnaissable, les paupières et les pommettes bouffies, congestionnées, les yeux minuscules, à peine ouverts, qui lançaient un regard étonné et absent, pas sympathique, pas même attendrissant, presque méchant, mes lèvres étaient sèches et croûteuses, craquelées, ma langue blanche et pâteuse, les joues pas rasées, le cou piqueté de poils gris et noirs, drus, épars. Je regardais ce visage dans le miroir, je regardais ce visage déjà vieux et pourtant mien, et c'est un état qu'il est des plus étranges de devoir associer à soi-même, la vieillesse, ou tout du moins — car je n'étais pas encore vraiment vieux, j'allais avoir quarante ans dans quelques mois — la fin incontestable des caractéristiques de la jeunesse lisible sur les traits de son propre visage.

Les dernières malles parties, Marie referma la porte derrière les bagagistes et enleva son pull marin et sa chemise de nuit, qu'elle déposa au passage sur le lit, continua toute nue jusqu'à la fenêtre pour aller regarder un instant la ville grise et embrumée à travers la baie vitrée. Il pleuvait sur Tokyo, un épais brouillard recouvrait le ciel à perte de vue, on voyait quelques toits plats et des antennes au loin, quelques gouttelettes de pluie glissaient solitairement sur le carreau. Je préparai du thé en caleçon dans la chambre pendant que Marie faisait sa toilette. Pieds nus et pensif, je versais doucement de l'eau frémissante sur un pâle sachet de thé au fond d'une des tasses du plateau du minibar. Les doigts légèrement tremblants, je bus une petite gorgée de thé brûlant, sans doute la seule chose que je pouvais avaler à cette heure. Dix minutes plus tard — le téléphone n'avait sonné qu'une fois entre-temps et j'avais répondu moimême que nous arrivions — Marie reparut dans la chambre. Elle était habillée et maquillée. Ses traits étaient tirés, mais elle était métamorphosée, elle portait un pantalon gris impeccable et un col roulé noir, des bottillons en chevreau à lacets croisés. Elle avait son grand manteau en cuir sous le bras, un volumineux agenda à la main, ses lèvres étaient légèrement maquillées, elle portait des lunettes de soleil, une autre paire que la veille, plus sobres, plus effilées. J'étais toujours en caleçon, assis au bord du lit, et je feuilletais une Bible en anglais reliée en cuir bleu, que j'avais trouvée dans le tiroir de la table de nuit. Je ne lisais pas vraiment, je tournais les pages, regardais les têtes de chapitre, l'intitulé des épîtres. Je refermai distraitement le volume (je n'avais pas l'esprit très clair), que j'abandonnai derrière moi sur le lit défait, et allai m'habiller, passai prendre le flacon d'acide chlorhydrique dans ma trousse de toilette et mis mon grand manteau gris noir. Nous quittâmes la chambre et nous prîmes l'ascenseur, nous étions côte à côte dans l'étroite cabine de verre transparente qui descendait au cœur de l'atrium de l'hôtel, et je regardais les lustres immobiles dans le hall, trois lustres d'une amplitude spectaculaire, trois à quatre mètres d'envergure et près de huit à dix mètres de haut, leur forme évoquait des flacons de liqueur ou d'alcool blanc, des salières en baccarat, des carafes de vin aériennes aux reflets irisés, étroits au sommet et s'évasant de plus en plus à mesure qu'on descendait le long de leur corps, pour devenir presque ronds à la base, enveloppés, féminins, et, malgré la rigueur de leurs lignes, leur éclat avait quelque chose de fluide et d'aquatique, et c'était peut-être à des gouttes d'eau géantes finalement qu'ils faisaient le plus penser, ou à des larmes, mon amour, trois gigantesques larmes de lumière étincelantes qui pendaient là en suspension dans le hall de l'hôtel dans un poudroiement de paillettes et de nacre.

Au cœur du grand hall de marbre de l'hôtel, autour de nos bagages entassés sur plusieurs wagonnets dorés, attendait un groupe de cinq hommes en costume impeccable, avec des lunettes de soleil ou de vue, des parapluies et des attachés-cases. L'un d'eux (Yamada Kenji, le seul que Marie connaissait, il dirigeait la boutique *Allons-y Allons-o* de Tokyo), vint à notre rencontre à grands pas, avec un sourire d'autant plus enjoué que notre retard se montait à près de quarante minutes, une éternité au Japon. Il s'avança vers Marie pour lui souhaiter la bienvenue et lui demanda aussitôt si elle avait pu se reposer des fatigues du voyage, si elle s'était bien remise du décalage horaire, et Marie alors, avec ce sens du spectacle, cette outrance dont elle avait le secret, retira théâtralement ses lunettes de soleil au milieu du grand hall de marbre et présenta son visage à nu dans la lumière des lustres, n'ayant honte de rien, n'ayant rien à cacher, qui semblait dire à la cantonade « vous voulez le savoir, eh bien, regardez ! », comme si elle leur dévoilait là quelque odieuse cicatrice, une plaie pulvérulente, un herpès de la face. Les quatre messieurs qui accompagnaient Yamada Kenji regardaient eux aussi le visage pâle et fatigué de Marie dans la lumière du hall et ne savaient quoi dire ni comment réagir. Yamada Kenji paraissait bien ennuyé d'avoir posé d'entrée une question aussi sulfureuse, et il demeurait contrit dans le hall, la tête baissée, tandis que les autres, immobiles en demi-cercle autour de Marie, souriaient avec circonspection tout en hochant machinalement la tête d'un air perplexe et compatissant. Marie ne bougeait pas, impériale, le visage toujours offert aux morsures des regards. Mais moi aussi, je la regardais, Marie, je regardais son visage dans la lumière des lustres, et c'est vrai qu'elle était particulièrement belle ce matin dans l'offrande silencieuse de sa pâleur défaite.

Dès que Marie eut remis ses lunettes, la rencontre reprit le cours paisible et ennuyeux des rendez-vous professionnels, et Yamada Kenji nous présenta les différentes personnes qui l'accompagnaient, chacun de ces messieurs s'inclinant et sortant une carte de visite de sa poche, ou de son portefeuille, ou de son porte-cartes, que Marie reçut avec un mélange de politesse et de désinvolture, soulevant encore ses lunettes de soleil pour lire ici et là un nom sur les cartes de visites. Seul le nom de Kawabata, associé au physique du personnage, cheveux raides et roses à la Andy Warhol et pantalon en cuir noir moulant, sembla l'intéresser un instant. A côté de ce Kawabata, personnage influent, si ce n'est directeur, ou sous-directeur, du *Contemporary Art Space* de Shinagawa, qui suçotait placidement un cigarillo et portait à la main une mystérieuse mallette rigide en toile à monogramme glacée couleur *gun metal sky metallic*, se trouvait une personne du même musée, M. Morita, un financier, personne plus terne aux épaules tombantes, avec des petites lunettes rondes et une dent en or qui apparaissait fugacement au fond de sa bouche lors de ses succinctes interventions. Il y avait aussi deux jeunes gens de *Spiral*, des subalternes apparemment, des subordonnés ou des stagiaires, tous deux très jeunes et très sérieux, et même cérémonieux, engoncés dans des costumes trois-pièces, non pas trop grands mais comme trop vieux pour eux. Pour ma part, j'étais resté dans l'ombre de Marie, et j'avais simplement incliné les yeux pour saluer tout le monde avec retenue.

Afin de nous communiquer le programme de la journée, Yamada Kenji suggéra de se rendre dans un coin retiré de l'hôtel, où on pourrait nous servir le café. Notre groupe s'était mis en route dans le hall, lentement, des sous-groupes s'étaient naturellement formés, Yamada Kenji chaperonnant Marie, qui marchait à côté de ce Kawabata en cuir, avec sa mallette extraplate qui devait coûter plus de dollars qu'elle n'en pouvait contenir, et elle continuait à lui poser des questions, qui étaient traduites scrupuleusement au fur et à mesure. Moi, je marchais en retrait, avec les deux jeunes gens tirés à quatre épingles de *Spiral*, qui me souriaient sans un mot (en anglais, pour ainsi dire, conversation des plus paisibles). La jeune chargée de mission auprès de l'ambassade de France avait fini par nous rejoindre (elle s'était apparemment éclipsée un instant aux toilettes précisément au moment où nous arrivions dans le hall), et elle marchait à côté de moi, laissant Marie à ses collaborateurs et aux responsables du musée de Shinagawa. C'était une élégante jeune femme dans un grand manteau de laine vierge, qui m'entretenait de vacuités badines et de détails bénins, comme si on l'avait chargée d'accompagner Monsieur Thatcher pendant une visite officielle. Pantalon noir et chemisier crème, foulard en soie, yeux noirs de braise (elle n'avait rien de blond à part les cheveux), elle me faisait une petite cour frivole et sans conséquence tandis que nous retraversions le hall, m'effleurait le bras en riant et repartait de plus belle dans une longue phrase en relevant à l'occasion un de ses innocents sourcils noirs pour marquer sa surprise, voire sa stupéfaction, devant quelque objection que je n'avais même pas faite, qu'elle avait simplement anticipée. Elle pouvait avoir vingt-sept, vingt-huit ans, mais semblait fréquenter les allées de la diplomatie depuis le double, son indéniable assurance et ses sourires charmeurs étaient décourageants. Je la regardais, épuisé, me passais la main sur mon menton rugueux et mal rasé, exaspéré par sa voix enjouée que nimbait un charmant zeste de zézaiement (*sarzée de miction*). Et vous étiez où, dis-je, justement, quand nous sommes arrivés dans le hall ?

Nous avions pris place dans des canapés et des fauteuils en cuir noir répartis sur une mezzanine qui dominait le hall de l'hôtel, et on nous avait servi des cafés, je ne sais combien de thés et de cafés nous avions bus depuis notre arrivée au Japon. Différents documents reposaient sur notre table basse, des grands classeurs couleur aluminium, des chemises plastifiées transparentes, un plan enroulé du musée de Shinagawa, des photos, des dossiers, sans compter les petits cadeaux de bienvenue que Marie avait déballés avec gentillesse et morosité, sans paraître particulièrement heureuse de les recevoir, ni surprise qu'il y en eût, les déposant simplement à l'écart, parmi leurs emballages froissés, un foulard, des baguettes nacrées, des bâtonnets d'encens.

Yamada Kenji nous avait remis le programme du jour, et je le parcourais des yeux dans l'espèce de brume comateuse qui m'enveloppait l'esprit. Nous en étions à la phase accueil (9 heures — 10 heures, accueil à l'hôtel). Suivaient, au programme, une visite des salles du musée de Shinagawa pour préparer l'accrochage de l'exposition, une rencontre avec des journalistes du magazine *Cut*, le déjeuner dans un restaurant traditionnel, une séance de photos pour la couverture d'un magazine de mode, une visite de l'immeuble *Spiral*, suivie d'une réception et d'un dîner. Je prenais connaissance de tout cela avec un peu de lassitude et d'effroi, quand M. Morita, à côté de moi, qui venait de reposer son programme sur la table, se mit à parler du tremblement de terre de ce matin. Aussitôt, à l'évocation du tremblement de terre (aucun sujet ne pouvait sans doute toucher chacun plus intimement), tout le monde prit part à la conversation, aussi bien le taciturne Kawabata, qui lâcha une phrase péremptoire en japonais, que personne ne nous traduisit, que les deux jeunes gens tirés à quatre épingles, qui surmontèrent leur timidité pour apporter eux aussi leur pierre

112

aux débats. Le plus jeune (si c'était possible d'être plus jeune que l'autre), aussi réservé que bien informé, se mit à nous expliquer dans un anglais ésotérique que, selon des informations entendues à la radio, une personne était morte ce matin d'une attaque cardiaque dans un village de la péninsule d'Izu où se situait l'épicentre du séisme. A cela, l'imprévisible Kawabata, se redressant brusquement dans son fauteuil — il s'était appuyé en arrière les mains jointes sous le nez comme pour prendre son élan et bondir en avant — avait répliqué par une nouvelle phrase péremptoire en japonais, et, alors que, jusque-là, par courtoisie pour nous, on s'efforçait de parler plutôt français ou anglais, la conversation s'était poursuivie exclusivement en japonais, chacun ajoutant un détail ou en évoquant un autre, mimant des chutes d'objets, des affolements, des vacillements. Aux dires de Yamada Kenji, le seul qui continuait à nous traduire quelques informations de temps à autre, il y avait eu deux secousses, une petite, horizontale, à peine perceptible, vers une heure du matin, et une beaucoup plus forte au lever du jour, qui avait occasionné des dégâts dans

Tokyo, des coupures d'électricité, des retards de train, des éboulements, des bris de verre, des chutes de toitures et d'éléments de climatiseurs. Dans les deux cas, l'épicentre était situé du côté de la péninsule d'Izu. Selon les spécialistes, bien qu'il fût évidemment impossible de faire le moindre pronostic en la matière, il n'y avait pas de risque particulier d'un nouveau séisme majeur dans les prochains jour. Ouvrant sa mallette pour ranger les quelques programmes qui n'avaient pas été distribués, Yamada Kenji supposait que nous n'avions pas dû ressentir la première secousse, assez faible, qui s'était produite cette nuit vers une heure du matin, car nous devions déjà dormir, et espérait que la deuxième, au lever du jour, beaucoup plus violente, et qui, il le craignait, avait dû nous réveiller, ne nous avait pas donné une trop mauvaise image de son pays dès notre arrivée. Non ? Il regardait Marie. Puis, tout le monde, imperceptiblement, se tut et se tourna vers Marie. Il venait de se passer quelque chose, personne ne savait quoi exactement, mais tout le monde en était conscient et s'était tourné vers Marie. Marie était immobile dans le canapé, la tête

114

droite, le programme de la journée à la main, et des larmes, lentement, coulaient sous ses lunettes de soleil.

Les larmes coulaient de façon irrépressible sur les joues de Marie, avec la nécessité d'un phénomène naturel, comme monte une marée ou survient une pluie fine, et elle ne faisait rien pour les retenir, elle les laissait couler sur ses joues, les affichait, sans ostentation, ni pudeur. Et, tandis que, le cœur serré, je la regardais pleurer en face de moi dans son fauteuil, je savais que c'était l'évocation du tremblement de terre qui les avait provoquées, car le tremblement de terre était maintenant indissociablement lié pour nous à la fin de notre amour.

Marie se leva, pria Yamada Kenji de l'excuser et, s'approchant de moi sous les yeux de chacun qui essayait de comprendre ce qui lui arrivait, prêt à intervenir pour l'aider ou la soutenir, elle exerça une pression sur mon épaule, rapide, mais ferme, en même temps suppliante, et me demanda de bien vouloir l'accompagner. Je me levai et la suivis, nous redescendîmes dans le hall de l'hôtel, je ne sais pas où nous allions, je la suivais, elle semblait chercher un endroit calme pour parler. Elle finit par sortir de l'hôtel, passa la porte coulissante, et, immédiatement, un portier capé de vert et gris et coiffé d'un haut-de-forme la salua et lui demanda si elle désirait un taxi. Elle continua sans répondre, m'attendit un peu plus loin, toujours sur la plate-forme à l'abri de l'auvent. Il pleuvinait dehors, le ciel était gris, on voyait une grande avenue déserte devant nous, en contrebas de l'allée privée réservée à l'hôtel. Des voitures passaient, les veilleuses allumées dans un léger brouillard, quelques taxis, de rares piétons. Marie n'avait pas quitté son grand manteau de cuir noir dont elle avait relevé le col et fumait une cigarette sur le perron, en silence, avec gravité. Je m'étais arrêté à côté d'elle, je regardais au loin, j'avais l'esprit confus et les sinus douloureux. Elle continuait à fumer, elle réfléchissait. Après un long moment, elle se tourna vers moi et me dit avec difficulté, d'une voix quelque peu étranglée, qu'elle était d'accord pour qu'on se sépare. Je ne répondis rien. Je la regardais, je mis les mains dans les poches de mon manteau et je sentis en tressaillant le contact du flacon d'acide chlorhydrique sous mes doigts. Mais, maintenant, je ne peux pas, me dit-elle, maintenant c'est trop dur. Pas maintenant, me dit-elle, pas maintenant, et elle me saisit le bras avec force, laissa la main parcourir et pincer la laine de mon manteau, faire pression ardemment sur mon bras pour me convaincre. Sa voix était ferme, presque dure. Pas maintenant, me dit-elle, pas ces jours-ci. Ces jours-ci, j'ai besoin de toi.

Nous vîmes alors Yamada Kenji passer la porte de l'hôtel avec hésitation et nous chercher du regard. Lorsqu'il nous aperçut, il s'avança prudemment vers nous avec un sourire ennuyé. Nous interrompîmes aussitôt notre conversation, et il y eut un moment de gêne, pendant lequel il resta immobile devant nous à manipuler son programme. Puis, assez maladroitement, il demanda à Marie s'il y avait quelque chose dans le programme qui ne lui convenait pas, qui l'avait chagrinée. Marie le regarda, interdite, et, se tournant fugitivement vers moi, elle me sourit entre ses larmes. Non, non, ça va, il est très bien, le programme, dit-elle, moitié en souriant, moitié en reniflant.

Dans le taxi qui nous conduisait au *Contemporary Art Space* de Shinagawa, j'avais pris la main de Marie, et je la serrais doucement dans la mienne, je sentais la chaleur de ses doigts contre ma peau. L'ambiance était lourde dans la voiture, la pluie balayait les vitres, un essuie-glace allait et venait régulièrement sur le pare-brise. Personne ne disait rien. Yamada Kenji était assis à l'avant, à côté du chauffeur, il avait donné l'adresse du musée et consultait en silence des petites fiches roses quadrillées sur ses genoux. La jeune chargée de mission française regardait pensivement par la vitre, et elle se taisait elle aussi, intimidée par les larmes de Marie.

Pour accéder à l'entrée du musée, il fallait longer un mur d'enceinte en grosses pierres sur une centaine de mètres. Le taxi nous avait laissés en haut du chemin, sur le vaste parking désert d'un hôtel. Notre groupe reconstitué (les autres nous avaient rejoints dans un autre taxi), nous nous étions mis en route sous une pluie fine, nous descendions une allée de pierres iné-gales et glissantes qui serpentait sous les arbres en direction d'un lac. Nous progressions lente-ment à l'abri de deux immenses parapluies, un bleu roi et un vert intense, qui se détachaient dans la brume et que tenaient avec un empres-sement gauche les deux jeunes gens de *Spiral*, qui trottinaient de chaque côté de nous dans le chemin en tendant le bras pour nous abriter. Derrière la porte du musée, une large porte métallique commandée par un dispositif élec-tronique (point rouge laser, caméra de surveil-lance), le *Contemporary Art Space* détonnait dans le décor champêtre où nous nous trou-vions, arbres et étangs, allées de mousses et sous-bois, on entendait même au loin des pépie-ments d'oiseaux et des coassements de grenouil-les. La silhouette blanche et allongée du bâti-ment apparaissait au fond d'un parc, murs fuselés et plaques d'aluminium ondulées qui donnaient à l'édifice des allures de hangar d'aéronautique ou de laboratoire de haute tech-nologie. La porte, en verre semi-opaque, don-nait sur un grand hall d'accueil en marbre noir, dans lequel nous attendîmes quelques minutes, avant d'être reçu par le directeur du musée, barbe poivre et sel et veste pied-de-poule assortie, qui portait de surprenantes Puma blanches flamboyantes, avec un fauve stylisé sur chaque pied prêt à bondir de ses talons au moindre relâchement. Il nous fit entrer dans les bureaux du musée par une porte dérobée et nous introduisit dans un salon privé qui jouxtait une salle de contrôle, dont la porte était entrouverte, on apercevait des rangées de moniteurs vidéo dans la pénombre. Nous prîmes place dans des canapés, autour d'une table basse noire et laquée, et une jeune employée apparut aussitôt dans notre dos avec un plateau pour nous servir un thé vert. Elle déposa un bol devant chacun de nous et se retira en silence. Nous ne disions rien, nous ne souriions pas. Les pleurs de Marie avaient refroidi tout le monde, seul le directeur du musée n'avait pas encore été échaudé et paraissait détendu et presque jovial, confortablement installé, les jambes croisées, dans son canapé. *First time in Japan ?* demanda-t-il à Marie d'une voix puissante. Pas de réponse. Marie, immobile, ses lunettes de soleil aux verres très noirs sur les yeux, regardait droit devant elle d'un air buté, ne paraissait nullement concernée par la question, on ne savait même pas si elle l'avait entendue. Non, finit-elle par dire, en français, sans faire le moindre effort. Cela jeta un froid dans l'assistance, chacun s'agita sur son siège, mais il n'y eut pas d'autres questions, la conversation était close. Je voudrais voir les salles, dit-elle.

Marie marchait à quelques mètres devant nous dans une immense salle d'exposition déserte, seule, dans son grand manteau de cuir noir, les lunettes de soleil relevées sur le front, son agenda à la main. D'une certaine manière, elle avait obtenu ce qu'elle voulait, elle avait imposé le silence et le respect nécessaires à sa concentration, par les larmes et la sécheresse de ton, plutôt que par la supériorité souriante qu'elle opposait en général à ses interlocuteurs (plus efficace, mais qu'elle n'avait pas la force ou la souplesse d'appliquer aujourd'hui), et le résultat était là, on restait sur ses gardes, on n'osait l'aborder ou lui adresser la parole, et elle pouvait s'abandonner à ses pensées comme si elle avait été seule dans le musée. Nous la suivions à distance, parlant à voix basse, intimidés autant par l'ampleur des salles vides que nous traversions, qui faisait résonner nos pas sur le parquet, que par la présence forte, déterminée et silencieuse de Marie devant nous. Il y avait près de trois cents mètres carrés d'espace d'exposition répartis en quatre salles (A.B.C.D), de formes différentes, deux rectangulaires, une pentagonale et une octogonale, la plus petite faisant soixante mètres carrés et la plus grande cent dix mètres carrés. Elles étaient toutes blanches et désertes, impressionnantes de nudité, noyées dans une lumière brumeuse qui provenait des fines ouvertures du toit à travers lesquelles on apercevait un ciel gris et tumultueux chargé de lourds nuages de pluie. Une batterie de lumières artificielles sophistiquées rehaussait le dispositif, composées de cylindres translucides orientables fixés en haut des cimaises, dont les ampoules projetaient une chaude lumière ambrée de lanterne japonaise traditionnelle.

Marie s'était arrêtée au centre de la plus grande salle. Elle avait détaché une petite feuille de son agenda et, se servant de la couverture de son carnet comme pupitre, isolée dans la pièce (je fus le seul à faire quelques pas dans sa direction, les autres restèrent sur le seuil et rebroussèrent chemin, firent discrètement demi-tour pour la laisser seule), elle traçait des croquis, un plan sommaire de l'espace, des rectangles pour figurer les salles, des carrés, des flèches que je ne parvenais pas à déchiffrer. De temps à autre, elle relevait la tête et réfléchissait, examinait les murs comme pour s'en inspirer et complétait son esquisse, reliait une flèche à un mot écrit en capitales, qu'elle soulignait une ou deux fois. Je quittai la salle et rejoignis les autres dans le hall. Le directeur nous invita à monter au premier étage, et nous traversâmes une passerelle de verre qui surplombait le hall pour entrer dans une pièce mal définie, qui abritait une immense bibliothèque invisible de catalogues d'exposition et de revues d'art dissimulés dans de longs tiroirs japonais en bois blanc, que le directeur du musée ouvrait au fur et à mesure devant nous avec lassitude pour nous faire la démonstration du système de rangement. Je le regardais ouvrir et fermer ces tiroirs à la manière d'un magicien paresseux, et je pensais à autre chose (j'étais fatigué, je me sentais fiévreux).

Nous avions regagné le salon à côté de l'entrée, certains s'étaient rassis pour boire du thé ou converser, d'autres étaient restés debout et feuilletaient pensivement des catalogues. Je me promenais dans la pièce en regardant les affiches des expositions du musée, et j'allai passer une tête dans la salle de contrôle, où se trouvait un jeune homme, dos à moi, qui travaillait sur un ordinateur. La salle était à peine éclairée, avec des voyants lumineux et des manettes de réglage, elle avait des allures de studio de mixage ou de régie-image d'une salle multimédia, avec les écrans de contrôle de plus d'une dizaine de caméras de surveillance qui diffusaient des plans fixes en noir et blanc grisâtres. Examinant l'ensemble, je me rendis compte que les écrans de la rangée supérieure correspondaient à des caméras de contrôle qui filmaient les environs immédiats du musée, deux étaient fixées au portail extérieur, qui diffusaient des images neigeuses de l'allée déserte qui descendait vers le lac, et deux à l'entrée, une tournée vers le parc sous la pluie, et une orientée vers le hall d'entrée en marbre noir, avec cette image fixe caractéristique de ce type de focale en plongée où les personnages que l'on découvre à l'image apparaissent souvent comme des victimes désignées ou des morts en puissance.

L'autre rangée d'écrans frappait par sa rigueur extrême, les huit moniteurs diffusaient des images blanches très lumineuses, qui, au premier coup d'œil, pouvaient passer pour de parfaits monochromes hypnotiques, mais, pour peu que l'œil s'attardât sur les détails, on pouvait distinguer des arêtes et des plinthes et reconnaître qu'il s'agissait de différentes vues des salles d'exposition désertes du musée. Je regardais fixement cette rangée d'écrans blancs qui scintillaient légèrement, quand je vis soudain Marie apparaître dans le tableau, silhouette solitaire que je voyais se mouvoir lentement devant moi sur l'écran. Elle passait comme en apesanteur d'un écran à l'autre, manteau noir sur fond blanc, disparaissant de l'un et surgissant dans l'autre. Parfois, fugitivement, elle était présente sur deux écrans à la fois, puis, tout aussi fugacement, elle n'était plus présente sur aucun, elle avait disparu, et, immédiatement, c'était étrange et même un peu douloureux, elle me manquait, Marie me manquait, j'avais envie de la revoir. Elle réapparaissait alors, elle était de nouveau à l'image, elle s'était arrêtée au milieu d'une salle. J'étais entré dans la pièce et je m'étais approché de l'écran, tout près, les yeux à quelques centimètres de sa brillance électronique, et je la vis lever les yeux vers moi pour adresser un regard neutre en direction de la caméra de surveillance, nos regards se croisèrent un instant, elle ne le savait pas, elle ne m'avait pas vu — et c'était comme si je venais de prendre visuellement conscience que nous avions rompu.

Je quittai la salle de contrôle en vacillant, j'avais la tête qui tournait. Mes yeux piquaient d'avoir fixé l'écran aussi intensément et ma vue se brouillait sous des éblouissements blancs, je m'approchai de la jeune chargée de mission française et lui demandai de bien vouloir m'appeler un taxi. Je devais avoir l'air pâle, car elle me demanda si tout allait bien. Je lui dis

126

que non, que je n'allais pas bien, que j'étais fatigué, sans doute le décalage horaire, et que je préférais rentrer me reposer à l'hôtel. Je m'étais laissé tomber dans un fauteuil, et je ne bougeais plus, je transpirais lourdement dans mon épais manteau gris noir, je voyais qu'on me jetait des regards à la dérobée. La jeune femme revint me dire qu'on avait appelé le taxi et qu'il arrivait, me demanda si je voulais être raccompagné. Je hochai faiblement la tête, je lui dis que oui, que c'était gentil. Nous quittâmes le musée ensemble, remontâmes la petite allée qui menait au parking sous une pluie battante. Le parking de l'hôtel était désert, parsemé de grandes flaques traversées de pluie tourbillonnante et de rafales de vent. Le taxi tournait en rond au loin sous la pluie, indécis, sans s'engager sur le parking. La jeune femme se dirigea vers lui d'un pas volontaire en agitant le bras en l'air dans son grand manteau mouillé. Le taxi s'immobilisa sous un arbre, elle dit quelques mots en japonais au chauffeur pendant que je prenais place dans la voiture. Le taxi démarra et je me retournai, je vis sa silhouette isolée sous la pluie à travers la lunette arrière embuée du taxi. Je ne le savais pas encore, mais c'était la dernière fois que je la voyais.

En descendant du taxi, je remontai immédiatement dans ma chambre au seizième étage de l'hôtel. La chambre avait été faite en notre absence et elle avait retrouvé des allures de chambre d'hôtel ordinaire depuis que nos cent quarante kilos de bagages avaient disparu. Les lits avaient été faits, les rideaux ouverts, et une pénombre grise et terne entrait dans la pièce. Les vêtements qui traînaient par terre avaient été pliés, les chaussettes blanches à liséré rouge et bleu que nous avions abandonnées n'importe comment en boule sur la moquette avaient été ramassées et pieusement déposées sur la coiffeuse. La chambre était surchauffée, et j'allai couper le chauffage, je voulus ouvrir la fenêtre en grand, mais le battant était condamné. On ne pouvait, en tirant sur un panneau de verre vertical, obtenir qu'une mince ouverture de deux ou trois centimètres, j'essayai bien de forcer le bras articulé de sécurité pour ouvrir davantage la baie vitrée, mais en vain. J'allai m'étendre sur le lit, je n'en pouvais plus. Je n'avais pas enlevé mon manteau, et je marinais dans ma sueur, je me sentais fiévreux, j'avais le nez pris, je reniflais, je me relevais régulièrement pour aller me moucher dans la salle de bain. A la fin, las d'aller et de venir dans la chambre, j'emportai le rouleau de papier hygiénique avec moi, que je posai sur la table de nuit. Je me mouchais sans discontinuer, allongé sur le lit, une collection de fragments de papier hygiénique froissé grandissait à côté de moi, un fatras de boulettes chiffonnées qui s'accumulaient sur la moquette. Je passai toute la matinée là. J'essayais de fermer les yeux et de dormir, mais je ne pouvais pas dormir, j'étais trop agité. Allongé sur le dos, je regardais le plafond, immobile, les pieds croisés sur le lit, les mains dans les poches de mon manteau. Je n'avais pas de perspectives. Qu'avais-je à faire ces jours-ci à Tokyo ? Rien. Rompre. Mais rompre, je commençais à m'en rendre compte, c'était plutôt un état qu'une action, un deuil qu'une agonie.

Je quittai la chambre en début d'après-midi avec un sac de voyage qui contenait le minimum, deux chemises, quelques tee-shirts, ma trousse de toilette. Dans le hall, j'allai changer de l'argent à la réception. J'avais rempli un formulaire et présenté ma carte de crédit au comptoir de change et un employé me remit deux cent mille yens en liquide, une liasse de vingt billets de dix mille yens neufs, lisses et doux, dans une enveloppe en kraft de la taille exacte des billets. Je sortis les billets de l'enveloppe, les recomptai en faisant glisser mes doigts sur la surface sensuelle des coupures et scindai la liasse en trois, je gardai deux billets sur moi, en rangeai huit autres entre les feuillets de mon passeport, et laissai les dix derniers dans l'enveloppe. Je m'accroupis pour ouvrir mon sac de voyage dans le hall et glissai l'enveloppe, pliée en deux, dans un des compartiments de ma trousse de toilette. Je quittai l'hôtel sous la pluie, marchai une dizaine de minutes dans des rues grises, avant de descendre les quelques marches d'une bouche de métro excentrée de la station Shinjuku. Je suivis des kilomètres de tapis roulants dans des couloirs souterrains. A mesure qu'on approchait de la gare, la foule se faisait plus dense et je continuais de marcher dans d'interminables couloirs humides. De nombreux clochards avaient investi les couloirs du métro, qui s'étaient installés là le long des murs, sur des couvertures ou dans de simples cartons, dans des tentes de fortune, sur des vieux matelas auréolés de taches de graisse ou de traînées de pisse, des casseroles abandonnées par terre, un pantalon qui sèche, des cordelettes, des canettes vides, des plateaux de bentos entassés, des chiens immobiles, la gueule bornée, le poil fumant d'humidité, une infecte odeur de couloir de métro et d'animal mouillé qui faisait remonter à la narine d'inattendues réminiscences de Paris.

J'avais consulté un plan de métro avant de partir, et plusieurs possibilités s'offraient à moi, je pouvais soit prendre la ligne Yamanote du J.R., qui descendait vers le sud puis remontait pour faire un tour complet de la ville, soit le métro, la ligne Marunouchi, que symbolisait un fin ruban carmin. Je n'avais pas de préférences et me laissais guider au hasard par les détours des couloirs et les mouvements de la foule en guettant les inscriptions sur les panneaux. Ce fut le fil rouge de la ligne Marunouchi que je repérai en premier, et je le déroulai pour ainsi dire de panneaux en panneaux, suivant les couloirs et les escaliers mécaniques jusqu'aux quais. Après un petit quart d'heure de trajet debout dans un wagon surchauffé (il faisait tellement chaud que j'avais fini par enlever mon manteau et l'avait gardé dans le creux de mon bras), je descendis à la station Tokyo. Je montai les escaliers mécaniques et me trouvai de nouveau perdu dans une gare immense, aux dimensions comparables à celles de Shinjuku, avec plusieurs étages de galeries marchandes reliées par des ascenseurs de verre. La tête douloureuse et le front fiévreux, je progressais dans les dédales d'une galerie souterraine bordée de boutiques de toutes sortes, il y avait aussi bien des agences de voyage que des entrées de grands magasins, de vastes librairies ouvertes sur l'extérieur et des minuscules salons de coiffure avec leur siphon de verre torsadé bleu et rouge, des cafés, des bars, des dizaines de restaurants avec leurs cartes du jour et leurs plats en vitrine, représentés par des figurines sculptées en cire multicolores, aux allures d'accessoires de dînette, de sushis d'opérette. Je montai plusieurs volées d'escalators et continuais à évoluer dans la foule à la recherche du hall de départ des Shinkansen. Tout était remarquablement bien indiqué, et moins de cinq minutes plus tard, j'avais mon billet de train.

Le Shinkansen, long oiseau blanc fuselé, venait de quitter la gare de Tokyo, et roulait lentement sur un viaduc en plein cœur de la ville, j'avais trouvé une place près de la fenêtre dans une voiture non réservée, et je voyais les vitres illuminées des immeubles de bureaux qui défilaient au même niveau que le train dans la grisaille pluvieuse du jour, nous longeâmes à faible allure le Forum international dont la courbe concave épousait exactement le contour des voies ferrées. Dans les haut-parleurs du train, une voix grésillante souhaitait la bienvenue en japonais et en anglais, énonçait la liste des gares où le train ferait halte, Nagoya, Kyoto, Shin-Osaka, Shin-Kobe. Je n'avais pas de voisin, et j'avais posé mon sac et mon manteau à côté de moi. Sur la rangée de trois sièges la plus proche se trouvait un homme seul en chemise blanche et cravate qui lisait le journal en chaussettes. Peu à peu, le train avait pris de la vitesse, nous avions quitté le centre de Tokyo pour des banlieues qui s'étendaient dans la brume, des filets de pluie ruisselaient sur les vitres. Nous longions des zones industrielles et des concentrations de maisons grises aux toits couverts d'antennes. Je regardais par la vitre sans penser à rien, témoin passif de cette compression de l'espace et du temps qui donne le sentiment que c'est à l'écoulement du temps qu'on assiste de la fenêtre des trains pendant que défile le paysage.

Je n'avais pas déjeuné, et, après avoir observé d'un œil distrait les jeunes femmes en blouse vert pâle qui passaient dans le train en proposant d'une voix mécanique et inhumaine des plateaux-repas, des boissons ou des glaces, avec cette façon si particulière de présenter le produit à bout de bras, comme s'il s'agissait d'un programme, minuscules pots de glace à la vanille ou au thé vert ou bentos emballés tels des paquets-cadeaux, j'arrêtai une jeune femme dans l'allée et lui achetai un plateau-repas. Je n'avais pas choisi et fus un peu déçu, quand je déballai le paquet-cadeau, de trouver, à côté des baguettes et de la sauce au soja enserrée dans un petit poisson en plastique au lilliputien bouchon rouge, huit rectangles de riz identiques enroulés dans des feuilles de cerisiers. Je grignotai un des rouleaux, abandonnai le plateau sur la tablette. Je me croisai les bras sur la poitrine, fermai les yeux et essayai de dormir. Je somnolais, immobile sur mon siège, et je me demandais vaguement ce que j'allais faire à Kyoto.

Très tôt, vers cinq heures de l'après-midi, la nuit se mit à tomber, elle tomba d'un coup, presque sans transition. Dans le train éclairé, on ne distinguait plus bien les paysages à travers les vitres, d'immenses rizières dans l'obscurité, des profils montagneux, parfois, au loin, les points blancs d'une agglomération. Lorsque le train ralentit pour s'arrêter à Nagoya, il suivit le tracé rectiligne d'un viaduc et on apercevait la ville en contrebas, les commerces illuminés et les clignotements tapageurs des enseignes de néon des pachinkos, des devantures d'hôtels et des panneaux publicitaires dans la nuit. Le train s'était arrêté dans la gare de Nagoya. Une centaine de collégiens en uniforme noir boutonné jusqu'au col attendaient sur les quais, des lycéennes en jupe grise et veste bleue, cravate rouge, jambes épaisses, grosses écharpes et longues chaussettes blanches, qui avançaient par groupes de trois ou quatre vers les sorties. Je regardais par la fenêtre, le visage à la vitre, et, soudain, une de ces jeunes filles me fit coucou de la main au passage. Je fus brusquement sorti de ma torpeur, pris au dépourvu, et je m'apprêtais à lever la main pour lui répondre, mais elle n'était déjà plus là, elle avait disparu, et l'ébauche d'un sourire demeura en suspens sur mes lèvres, prêt à éclore pour lui témoigner ma reconnaissance, mais il n'y avait plus personne sur le quai, et mon visage redevint dur et impassible, distant, fatigué.

A l'arrivée du train à Kyoto, je descendis sur le quai, regardai autour de moi, hésitai. Mon sac de voyage à la main, je pris les escaliers mécaniques, et sortis de la gare. Il faisait nuit. Je ne savais où aller. J'hésitais à me rendre à l'office de tourisme, et je continuais à marcher au hasard sur le terre-plein. Je sortis mon carnet d'adresses de la poche de mon manteau et m'assurai que j'avais le numéro de téléphone de Bernard. Je cherchai un téléphone à pièces et en trouvai un dans une cabine aux portes mal conçues, qui s'ouvraient vers l'intérieur, je me faufilai entre les battants, que je laissai se refermer dans mon dos, posai mon carnet sur la plaque de métal des annuaires, et composai le numéro de Bernard. J'entendis le faible roulement des sonneries au loin dans le combiné, et, au bout d'un moment, je perçus qu'on décrochait. Aussitôt, je reconnus la voix de Bernard, qui parlait toujours à voix basse, posément, comme un chuchotement feutré permanent, ce qui donnait un grand pouvoir de persuasion à ses propos, si on les entendait. Je lui dis que j'étais à Kyoto et il ne parut pas particulièrement surpris. Je pensais qu'il allait me demander si j'étais avec Marie, mais non, il ne me parla pas de Marie, peut-être par pudeur, ou par indifférence, il me demanda simplement dans quel hôtel j'étais descendu. Je lui dis que je venais d'arriver et que je ne savais pas encore, et il me proposa de venir dîner à la maison, et même dormir si je voulais, il me dit qu'il pouvait m'héberger quelques jours. Je le remerciai, j'étais confus (tu es sûr que ça ne te dérange pas, lui dis-je, et il se contenta de me demander, d'une voix où perçait un sourire, si j'étais enrhumé).

Je pris un taxi et indiquai au chauffeur, avec ma voix nasale (qui me donnait peut-être enfin l'accent japonais), non pas l'adresse de Bernard, mais le nom de la station de métro la plus proche. Lorsque le taxi me déposa devant la station de métro, je restai en bordure de l'avenue, mon sac de voyage à la main. Il faisait nuit, il pleuvinait. Il y avait plusieurs bouches de métro, et Bernard ne m'avait pas précisé à laquelle nous devions nous retrouver, mais je reconnaissais vaguement l'endroit pour y être déjà venu quelques années plus tôt, et j'avais le pressentiment que c'était d'une ruelle qu'on apercevait à droite du caisson lumineux bleu et blanc de la station que j'allais le voir apparaître. Il surgit en effet quasiment dans le prolongement de ma pensée, débouchant de la ruelle sous un parapluie, et regardant posément autour de lui, balayant des yeux l'horizon. Il m'aperçut et traversa l'avenue pour me saluer de sa voix douce et égale. Nous nous mîmes en route, et il me proposa d'aller faire quelques courses pour le dîner dans un grand magasin des environs. Au sous-sol du magasin, tandis que nous échangions des informations minimales devant les compartiments réfrigérés (cela faisait trois ans que nous ne nous étions pas vus), il choisissait des côtelettes, me demanda ce que je voulais boire. Avec des côtelettes, peut-être du rouge, ajouta-t-il à voix basse. Oui, peut-être, dis-je. Peut-être. Je le laissai choisir une bouteille de rouge, un Médoc, il continuait à remplir son panier d'articles divers, également pour le petit déjeuner du lendemain, du café, du pain de mie prétranché, de la marmelade d'orange. Le seul désir que j'exprimai, avant de quitter le magasin, fut d'acheter des champignons, différentes sortes de champignons dans des barquettes en plastique sous vide, en bouquets de petites têtes minuscules ou en grandes lamelles semblables à des chanterelles. J'avais envie de champignons. Voilà.

Bernard habitait une maison japonaise traditionnelle, en bois, à un étage. Passé une courette extérieure, où un vélo reposait contre un mur dans la pénombre d'une plate-bande, on accédait à la cuisine, vaste pièce au sol en béton attenante à la pièce principale. Après nous être déchaussés, nous montâmes deux marches, toujours en manteau, baissant la tête pour passer les cloisons coulissantes qui s'ouvraient sur le salon, et nous progressâmes en chaussettes sur les tatamis, le corps légèrement incliné. Bernard me fit voir ma chambre, grande, totalement vide, je laissai mon sac contre le mur, et nous retournâmes prendre l'apéritif dans la cuisine, nous rechaussant et déchaussant à chaque fois au petit poste-frontière symbolique qui séparait le salon de la cuisine. La cuisine, glaciale en hiver, ouverte à tous les vents, était impossible à chauffer, et j'avais gardé mon manteau, j'avais pris place sur une chaise pliante à l'angle de la table, et j'exposais mes paumes au grillage rougeoyant du radiateur d'appoint fixé sur une bonbonne de gaz que Bernard avait allumé. Bernard s'était servi un pastis et m'avait préparé un Efferalgan, et on picorait des pistaches et des huîtres, qu'il avait transvasées directement du sachet en plastique transparent où elles avaient été emballées en vrac dans un grand bol laqué rouge et noir. Les huîtres, sans coquilles, grises et gluantes, aux lueurs de jade et de nacre, s'affaissaient les unes sur les autres au fond du bol, et se laissaient cueillir mollement entre mes baguettes inexpertes et glissantes pour finir dans ma bouche, fraîches, iodées, délicieuses. De temps en temps, je posais les baguettes et agrémentais mes huîtres d'une petite gorgée d'Efferalgan. Bernard, qui me tournait le dos, en pull zippé, préparait les côtelettes sur un vieux réchaud à gaz, à côté d'un évier, que surplombait une tablette remplie d'accessoires de toilette, brosses à dents et lotions, bombes aérosols, mousses à raser. Retournant les côtelettes et laissant les champignons mijoter sur le feu, il revint vers moi pour mettre le couvert, apporta les assiettes et le pain, et je l'aidai à les répartir sur la table, déplaçai une bouteille en plastique de thé oolong entamée et quelques vieux journaux, que je déposai à côté de moi sur les marches. Nous étions passés à table. Bernard avait apporté la poêle et les deux raviers de champignons sur la table et avait réparti les côtelettes dans les assiettes de la pointe de sa fourchette (pour moi, une seule, je n'avais pas très faim). Il déboucha la bouteille de Médoc, nous servit à chacun un demi-verre avec mesure, et me demanda de sa voix douce et chuchotante si j'avais ressenti le tremblement de terre de ce matin, paraît que ça a été une sacrée secousse à Tokyo, me dit-il en reposant la bouteille sur la table. Je ne répondis pas. Je cessai de manger, reposai ma fourchette sur la table. Je ne me sentais pas très bien. Brusquement, l'évocation du tremblement de terre m'avait fait remonter à l'esprit une bouffée d'émotions désordonnées, et, bien qu'il n'y eût vraiment rien d'indiscret dans la question de Bernard — cela avait été à peine une question, et pas même personnelle —, je sentis mes yeux se brouiller, et je m'excusai un instant, je me levai et sortis prendre l'air dans le jardin.

Peut-être, si Bernard m'avait demandé d'entrée des nouvelles de Marie, dans la rue quand on s'était retrouvé, ou maintenant, pendant le dîner, je lui aurais simplement répondu qu'elle avait été retenue à Tokyo, et nous en serions probablement restés là, nous n'en n'aurions pas parlé davantage (j'aurais même été réticent à en dire plus s'il avait continué à m'interroger sur le sujet). Mais, dès lors qu'il ne me demandait rien, et que Marie était le seul sujet qui occupait mes pensées depuis ce matin, je ne pus m'empêcher d'en parler moi-même le premier en revenant dans la cuisine. Et, en prononçant le nom de Marie avec cette volupté secrète qu'il y a d'évoquer ceux qu'on aime en public (je parlai d'elle le plus normalement du monde, sur le ton le plus détaché qui soit, pour dire simplement qu'elle était restée à Tokyo parce qu'elle préparait une exposition), je res-

sentis ce léger vertige qu'on ressent à s'appro-
cher volontairement du danger, tout en sachant
pertinemment que je ne risquais rien, car j'étais
le seul à connaître l'issue déchirante de notre
relation.

Je demandai à Bernard si je pouvais envoyer
un fax, et Bernard, posant ses couverts sur la
table, disparut dans le salon pour aller me chercher une feuille de papier et de quoi écrire (il
se déchaussait et se rechaussait en silence avec
une fluidité naturelle, dans une sorte d'aisance
inconsciente des déplacements et des gestes). Il
revint dans la cuisine et me tendit un bloc de
papier, et un pinceau (par facétie, avec un sourire prudent, si d'aventure je voulais calligra-
phier mon fax). Je souris et pris le pinceau. Oui,
pourquoi pas, dis-je. J'écartai mon assiette sur
un coin de la table, et, m'emparant du pinceau,
je me mis à tracer maladroitement mon message
en épaisses lettres d'encre noire. Lorsque j'eus
terminé, Bernard me guida au premier étage de
la maison pour envoyer le fax, nous enlevâmes
encore une fois nos chaussures, je n'avais nullement sa souplesse d'exécution, et, lourdement

assis en manteau sur les marches, je délaçais mes chaussures l'une après l'autre, avant de faire une pénible volte-face pour me relever et le suivre en chaussettes sur les marches étroites et glissantes des escaliers. Au premier étage, il me fit entrer dans son bureau, où régnait une chaude lumière cuivrée. Le téléphone était posé sur le sol, dans un angle de la pièce, et il m'indiqua rapidement son mode de fonctionnement avant de redescendre. Je relus une dernière fois le message, qui avait des allures de lettre anonyme de corbeau avec ses grandes lettres noires tracées au pinceau : *Marie. Je suis à Kyoto chez Bernard. Ne m'attends pas.* J'allai prendre un stylo sur son bureau et signai le message, barrai le haut de la feuille avec le numéro de sa chambre : Room 1619. Je glissai la feuille dans l'appareil, composai le numéro de télécopie de l'hôtel et envoyai le fax. Je songeai alors, en regardant tristement la feuille disparaître dans l'appareil, que, si Marie n'était pas à l'hôtel maintenant, à son retour, elle trouverait la sinistre annonce *You have a fax. Please contact the central desk,* qui brillerait sur l'écran bleu du téléviseur de la chambre vide.

Je descendis prudemment les escaliers pour rejoindre Bernard qui prenait le café au salon, je fis glisser doucement le fusuma pour entrer, le refermai derrière moi. La pièce était chaude, calfeutrée, les parois coulissantes fermées de tous côtés. Nous étions assis par terre sur une couverture chauffante, en bordure d'une table basse remplie de journaux et de bricoles diverses, et j'avais enlevé mon manteau, que j'avais posé à côté de moi, en boule, sur la natte. Bernard s'était agenouillé pour ouvrir un placard dans la paroi et avait sorti une bouteille de whisky hors d'âge, s'était servi un verre et m'en avait proposé un, j'en avais accepté une goutte, pour le rhume. Il avait rangé la bouteille, choisi un C.D. sur lequel il avait soufflé avant de l'introduire dans le lecteur. Nous buvions de temps à autre une gorgée de whisky, en chaussettes sur la natte, Bernard assis en tailleur et moi les jambes allongées, mon verre à la main. J'avais ouvert le *Japan Times* du jour et le feuilletais en silence, les pages déployées à côté de moi sur le tatami (en dernière page, se trouvait une photo du sumotori Musashimaru en super-

146

mauvaise posture, putain). Bernard, buvant une gorgée de temps à autre, m'expliquait qu'il devrait partir très tôt le lendemain (il donnait des cours dans une université lointaine et avait un premier cours à neuf heures), il ne rentrerait sans doute qu'à la nuit. Il me donna quelques instructions pour la maison, nous nous relevâmes et traversâmes la chambre dans l'obscurité pour aller visiter la salle de bain, où il déposa une serviette et un gant sur un tabouret à mon intention, puis les toilettes, au fond du couloir, traditionnelles, que j'aurais dites à la turque, si elles n'avaient été plus vraisemblablement japonaises. Il voulait bien me laisser les clés de la maison, mais ce ne me serait d'aucune utilité, personne ne fermait jamais la porte à clé, disait-il (le seul risque, si je le faisais, était de ne plus pouvoir rentrer), le téléphone, j'avais vu, était au premier étage dans son bureau, il me confiait son vélo, je pouvais m'en servir, m'expliquait-il tandis que nous revenions sur nos pas dans la pénombre de la coursive qui donnait sur un jardin intérieur (pas de recommandations particulières pour le vélo, tu connais le principe de la bicyclette, n'est-ce pas, me dit-il malicieusement — on voyait qu'il était pédagogue — on roule à gauche au Japon, ajouta-t-il, pince-sans-rire, sans se retourner).

Le lendemain, je me réveillai dans une maison silencieuse. J'étais couché sur un futon au milieu d'une pièce vide et inconnue aux couleurs naturelles et passées, paille et riz, et je respirais difficilement, mon rhume semblait avoir gagné le front et s'être propagé aux sinus. Il faisait glacial et humide dans la pièce, et je ne me levai pas tout de suite. Je restais étendu sur le dos à écouter la pluie tomber, pluie légère et pourtant étonnamment bruyante, comme amplifiée par les résonances des surfaces creuses sur lesquelles elle tombait, qui rebondissait dans un murmure permanent d'éclaboussures sur les tuiles, dégouttait des chéneaux et des branches. J'entendais même, de temps à autre, l'infime explosion d'une seule goutte sur l'arrondi d'une pierre. La chambre donnait sur une coursive intérieure aux parois vitrées qui faisait le tour de la maison, et, de mon lit, allongé au centre de la pièce, je voyais un petit jardin avec de la mousse et quelques arbustes, une étroite bande de ciel gris au-dessus d'un toit de tuiles bleues en forme de pagode. Le jardin baignait dans une brume lourde et basse, qui stagnait en suspension dans l'air gris et humide. Je me penchai hors du lit pour prendre ma montre et lus onze heures et quart sur le cadran, une heure qui ne correspondait à rien pour moi, qui n'évoquait rien de particulier, il aurait pu être huit heures ou trois heures, cela serait revenu au même, je n'attendais d'ailleurs rien de précis d'aucune heure.

Je ne quittai pas la maison ce jour-là. Après une prudente visite d'inspection au premier étage en caleçon et tee-shirt sans faire de bruit dans les escaliers (un rapide coup d'œil dans la chambre de Bernard pour m'assurer qu'il n'y avait personne, une pause plus longue dans son bureau, où j'avais distraitement passé un doigt sur les papiers qui traînaient sur la table), j'étais redescendu me faire du café, j'avais traîné dans le salon à lire des vieilles revues, assis par terre sur la natte, une couverture sur les épaules. Parfois, j'éternuais et je détachais un fragment de papier d'un rouleau de Sopalin pour me moucher. Je me sentais mal, j'avais des frissons. J'avais fini par retourner me coucher, fiévreux, les membres engourdis.

Les heures passaient. Il cessa de pleuvoir, je me rendormis, je me réveillai, je ne savais plus très bien. Je ne faisais rien de particulier, je ne quittais pas la chambre, je transpirais, le front chaud, l'esprit vide. Je me complaisais dans cet état de faiblesse et de fièvre. Je restais des heures au lit sous l'épaisse couverture du futon bien enroulée autour de mes épaules, je savourais la fragilité de ma poitrine, l'apathie de mes membres, je me réfugiais au fond de l'édredon pour m'imprégner de sa douceur et de sa chaleur, je me levais parfois, chancelant jusqu'à la cuisine pour me faire du thé, que je buvais brûlant dans mon lit pour conjurer les frissons. Je mangeais de minuscules quartiers de pommes que je pelais sans force dans la chambre en déposant les épluchures à côté de moi dans une soucoupe, je me levais pour aller faire pipi, la verge froncée, endolorie, fragile, comme fiévreuse elle aussi, je grelottais pieds nus dans la coursive, retournais rapidement me coucher et m'enrouler sous les couvertures pour me réchauffer. Je prenais ce refroidissement comme une fatalité, un luxe, une expérience. Je ne m'habillais pas de la journée, je ne me rasais pas, je rêvassais dans le lit, les yeux au plafond, je me recroquevillais sous la couette, je somnolais quelques minutes, je me préparais des médicaments effervescents que j'avalais en grimaçant, je tâchais d'extraire de mon corps affaibli et souffrant des voluptés inconnues, des sensations inédites, même si, en matière d'agréments des sens, je continuais de préférer les caresses de l'eau ou les douceurs des femmes aux subtils raffinements du rhume et de la fièvre auxquels j'essayais vainement d'initier mon corps endolori.

Les heures étaient vides, lentes et lourdes, le temps semblait s'être arrêté, il ne se passait plus rien dans ma vie. Ne plus être avec Marie, c'était comme si, après neuf jours de tempête, le vent était tombé. Chaque instant, avec elle, était exacerbé, affolant, tendu, dramatisé. Je sentais en permanence sa puissance magnétique, son aura, l'électricité de sa présence dans l'air, la saturation de l'espace dans les pièces où elle entrait. Et maintenant plus rien, le calme des après-midi, la fatigue et l'ennui, la succession des heures.

De temps en temps, le téléphone sonnait dans la maison, et je le laissais sonner. Les premières fois, cela m'avait alarmé d'entendre les sonneries retentir à l'étage, j'avais ressenti comme une tension de ne pas aller répondre, une oppression croissante à mesure que les sonneries continuaient de résonner dans le vide, puis je m'y étais habitué, et je laissais sonner le téléphone dans la maison aussi longtemps qu'il fallait, en toute indifférence.

Cela dura presque quarante-huit heures ainsi, le premier jour je ne vis pas Bernard, et, le second, à peine, très brièvement, en début d'après-midi. Je venais d'émerger d'un sommeil de près de trente-six heures, entrecoupé de brèves allées et venues de mon lit à la cuisine, et, croyant être toujours seul dans la maison, j'étais sorti de la chambre pour aller prendre le petit déjeuner en me rajustant nonchalamment les couilles dans mon caleçon fané (quel homme d'action, vraiment). Un large soleil entrait dans la cuisine, qui inondait le sol et me fit mettre la main en visière au-dessus du front pour me protéger les yeux instinctivement, quand, m'arrêtant sur le seuil, j'aperçus Bernard torse nu devant l'évier, en pantalon beige et une serviette de bain blanche autour du cou, des sandales aux pieds, les joues pleines de mousse, qui se rasait avec soin à l'évier dans un minuscule miroir posé sur une étagère, à côté de la machine à laver. Il me salua à voix basse en japonais, sans se retourner, en continuant à se raser méticuleusement le haut de la lèvre, et, comme je restais sur le seuil à ne rien dire, il me dit en français qu'il ne dînerait pas là ce soir, qu'il allait ressortir. Il fait beau, tu as vu, dit-il. Depuis longtemps ? dis-je. Il s'interrompit. Il se retourna pour me considérer, longuement, le rasoir à la main, la serviette autour du cou, le visage blanc de mousse, une joue oui, une joue non. Je m'étais assis sur les marches de la cuisine, pieds nus, en caleçon, je laissais glisser le bout de mes doigts sur les poils de mon mollet. Depuis ce matin, dit-il, et il se remit à se raser pensivement (je ne sais pas s'il avait compris que je n'avais pas quitté la maison depuis l'avant-veille).

La première fois que je quittai la maison, je me retournais sans cesse dans la rue, je craignais de ne plus pouvoir la retrouver, j'essayais de poser des jalons visuels, je repérais des poteaux télégraphiques, une maison en travaux, un fragment d'avenue qui s'éloignait en tournant à un croisement bordé d'un parapet, l'enseigne d'un magasin Toshiba. Après avoir fait glisser la porte d'entrée derrière moi, j'étais resté longtemps à observer la maison dans la rue, que rien ne distinguait particulièrement des maisons voisines, il n'y avait aucun signe extérieur caractéristique, ni nom, ni numéro, ni sonnette, ni boîte aux lettres. Pour mon esprit peu familier à ce genre de nuances, c'était partout les mêmes façades en bois sombre striées de lattes verticales, les mêmes portes coulissantes, les mêmes fenêtres fermées par des stores de bambou, les mêmes toits en tuiles bleues. Le seul repère distinctif que je finis par trouver fut la voiture du voisin, une petite Toyota blanche garée contre la façade de sa maison, les roues mordant sur le trottoir, mais je n'ignorais pas, en m'éloignant dans la rue après avoir bien localisé la voiture par rapport à la maison de Bernard, que c'était là un repère éphémère et mobile, précaire, impermanent.

J'avais continué dans les ruelles et j'avais pris le métro, j'étais descendu quelques stations plus loin. Je ne savais pas où j'allais, Bernard m'avait laissé un plan de la ville et je le consultais à peine, je projetais vaguement de retourner sur les traces de mon passé en prenant le chemin de l'auberge où j'avais séjourné avec Marie quelques années plus tôt, mais je n'hésitais pas à m'engager dans des ruelles de traverse et je finissais par m'égarer, je revenais sur mes pas, faisais des haltes et des détours, perdu dans mes rêveries. Les mains dans les poches de mon manteau, je remontais une large avenue en direction de la rivière dans une superbe lumière d'hiver. L'air était pur et glacé, et je n'avais plus de fièvre, je me sentais reposé. Je marchais au hasard, sans but, je me perdais dans des embouteillages de piétons au grand carrefour de Kawaramachi, je flânais dans des galeries marchandes, je passais le seuil de boutiques de calligraphie et m'attardais un instant devant les encres en bâtonnets solides, noirs avec quelque inscription verticale dorée, regardais les pinceaux précieux, en poils de je ne sais quoi, qui coûtaient la peau du cul. Je musardais dans les marchés, je m'arrêtais ici et là devant les gros tonneaux de salaisons de la devanture d'une échoppe et concevais mollement le désir d'acheter des tranches de thon géantes, du shiso, des légumes marinés dans du vinaigre aux couleurs acidulées, rose vif du gingembre, jaune du daikon, violacé de l'aubergine.

Je n'allais nulle part précisément. Parfois, à un carrefour, je m'arrêtais pour consulter le plan et je poursuivais ma route le long de ce qui me semblait être Higashioji, long boulevard gris en courbe, pollué et bruyant, embouteillé de camions et de bus qui roulaient au pas, bloqués dans la circulation, une touche d'orange à leur fronton à côté d'un numéro, d'un idéogramme mystérieux et d'une destination, Kyoto Station, Ginkakuji. Je venais de rejoindre les abords du vieux canal et j'avais commencé de le longer, quand je reconnus avec émotion la silhouette rouge orangée du sanctuaire Heian, dont le portique se dressait au loin parmi les arbres. De ma vie, je n'avais jamais vu une telle nuance de rouge, cette couleur indéfinissable, ni rose ni vraiment orange, ce rouge dissous, crémeux, exténué — le vermillon du soleil couchant de certaines nuits d'été, quand l'astre rond à l'horizon, pâle et jetant ses dernières lueurs orangées, s'enfonce lentement dans la mer au-dessus d'un ciel bleu clair presque laiteux. L'auberge où nous avions séjourné avec Marie se trouvait à deux pas de là, nous passions par ici tous les jours à l'époque, tous les matins nous traversions le petit pont de bois rouge orangé qui enjambait le canal. Je traversai le pont dans la lumière déjà déclinante du jour, et je sentais que je me rapprochais des ombres du passé, les lieux me devenaient familiers, je reconnus le musée d'art moderne et un banc où nous nous étions photographiés. Il y avait, quelque part à Paris, une photo de Marie et moi sur ce banc, que Bernard avait prise, et, même une photo de nous trois prise le même jour sur le petit pont rouge orangé par une jeune inconnue, à qui Bernard avait confié l'appareil avant de courir pour nous rejoindre, et je nous revois très bien serrés tous les trois sur cette photo, Bernard droit comme un i, moi indécis, avec cet air un peu emprunté et compassé (ce sourire de médecin légiste que j'ai parfois sur les photos), et Marie au milieu, souriante et mutine, avec quelque chose de foncièrement assuré et heureux dans l'expression, le regard embué d'un voile pensif, Marie contre moi, la tête légèrement inclinée sur mon épaule.

La nuit tombait quand je m'approchai de l'auberge. La rue était bordée d'un parc derrière lequel se devinaient des ombres et s'entendaient quelques cris indistincts, quand, d'un coup, des rampes de projecteurs de stade très puissants s'allumèrent derrière les grillages et se mirent à éclairer un terrain de base-ball dans le crépuscule, qui, en quelques secondes, fut envahi par une centaine de jeunes gens qui se dispersèrent en différents groupes, certains s'échauffant sur la pelouse synthétique dont les projecteurs faisaient ressortir le vert artificiel, d'autres commençant déjà à se jeter mollement des balles et se déhanchant pour les taper avec leur batte, des casquettes sur la tête, vêtus de tenues blanches et bleues de Yankees ou de Dodgers. Je m'étais arrêté pour les regarder distraitement derrière les grillages, et je me remis en route dans la pénombre, les réverbères n'étaient pas encore allumés dans la rue, et je fis les derniers mètres dans une lumière crépusculaire, on apercevait des traînées roses et noires dramatiques dans le ciel au-dessus de l'avenue qui passait au loin. Un chemin de pierres plates, de dalles espacées serpentant dans un jardin de mousse, menait à l'entrée de l'auberge, qu'éclairait une unique lanterne de pierre. Je m'étais arrêté au milieu du chemin, debout dans l'ombre des bosquets, les mains dans les poches de mon manteau. Je regardais la façade silencieuse de l'auberge, je guettais un signe du passé, un son, une odeur, un détail particulier, je restai là quelques minutes, les sens aux aguets, et finis par revenir sur mes pas, je n'avais rien à faire là.

En revenant vers le canal, je repassai à proximité du sanctuaire Heian enveloppé d'obscurité, la couleur rouge orangée du portique s'était maintenant comme atténuée de nuit. Je m'attardai sur l'esplanade, m'avançai jusqu'aux portes du musée d'art moderne. Le musée était fermé. Je collai mon visage à la vitre et regardai un instant à l'intérieur, on ne voyait pas grand-chose dans les salles du rez-de-chaussée, une exposition était en cours de montage, il y avait des échafaudages le long des cimaises, quelques bâches par terre, d'immenses caisses en bois entreposées contre les murs, et d'autres, plus petites, métalliques, un peu partout sur le sol. Je traversai la rue et me dirigeai vers le grand bâtiment de pierres, aux allures de bibliothèque ou d'université, du musée municipal des beaux-arts de Kyoto, mais les portes étaient fermées, condamnées par des grilles, et je n'insistai pas, j'entrai dans une cabine téléphonique et appelai Marie à Tokyo. Ce n'était pas la première fois que j'essayais de la joindre à l'hôtel, j'avais déjà essayé plusieurs fois de chez Bernard, mais elle n'était jamais là, je tombais toujours sur un réceptionniste de l'hôtel, qui me passait sa chambre, où la sonnerie résonnait interminablement dans le vide.

Cette fois-ci encore, après un bref échange en anglais avec le réceptionniste, j'entendis les sonneries se succéder dans le vide, et je m'apprêtais de nouveau à renoncer quand j'entendis décrocher. Il ne s'ensuivit aucun son, aucune voix, mais je sentais une présence au loin, j'entendais une respiration. Marie, dis-je à voix basse. Elle ne répondit pas tout de suite. Puis, dans un murmure, elle finit par me dire qu'elle dormait, c'était à peine une phrase articulée, plutôt une plainte alanguie, encore ensommeillée. De la cabine, je voyais un arrêt de bus désert. Il faisait nuit, quelques piétons passaient sur le trottoir en direction du sanctuaire Heian. Marie, qui avait reconnu ma voix, me demanda d'une voix douce quelle heure il était, et je soulevai mon bras dans la pénombre de la cabine pour regarder l'heure, je lui dis qu'il était six heures moins vingt. Six heures moins vingt, répéta-t-elle. C'était une heure qui ne lui disait rien apparemment, et même qui la déconcertait, qui renforçait la légère confusion

161

qui devait régner dans son esprit, comme si elle ne parvenait pas à établir si c'était six heures du soir ou six heures du matin, puis les choses revinrent peu à peu, et elle m'expliqua que Yamada Kenji devait venir la chercher à l'hôtel à sept heures pour dîner. Je faisais la sieste, me dit-elle, et alors je reconnus sa voix, son timbre, son intonation, l'once de sensualité et de malice qui la caractérisait. Marie, c'était Marie, elle était près de moi, j'entendais son souffle. Je ne bougeais pas dans la cabine, je ne disais rien, je l'écoutais en silence, elle s'était mise à me parler à voix basse. Elle allait bien, me disait-elle, elle était très concentrée, absorbée par le travail, ses journées étaient épuisantes, mais le montage de l'exposition était fini, je ne lui manquais pas tellement, c'était peut-être mieux pour son travail que je ne sois pas là. Oui, je crois que je suis mieux seule en ce moment, me dit-elle. Elle disait tout cela d'une voix égale et douce, légèrement ensommeillée, et je songeais que je ressentais la même chose qu'elle, finalement, que moi aussi j'étais mieux seul en ce moment, plus calme et plus apaisé, je ne pouvais que m'incliner devant la lucidité de son jugement, même si j'aurais préféré faire les mêmes constatations moi-même, car on allège toujours la cruauté d'un constat par la satisfaction d'en établir soi-même la pertinence.

En général, je n'aime pas beaucoup parler au téléphone, mais ce soir, curieusement, je ne voulais pas raccrocher, je voulais prolonger la conversation, la poursuivre interminablement, en suivre les boucles et les méandres, pour ne rien dire de particulier, pour le plaisir de me laisser bercer par la voix de Marie, et nous continuions à échanger quelques mots à voix basse dans le noir, moi debout dans la cabine téléphonique qui relevais parfois les yeux vers l'esplanade déserte qui s'étendait devant le musée d'art moderne, et Marie dans son lit, qui n'avait sans doute pas allumé la lumière, peut-être même pas la lampe de chevet sur la table de nuit, seule devait briller dans l'obscurité de la chambre le fin rayon blanc de la veilleuse d'urgence des tremblements de terre. Elle était seule dans son lit, et elle continuait de me parler à voix basse. J'avais fermé les yeux pour l'écouter, et j'entendis alors dans les profondeurs du combiné sa voix ensommeillée me dire qu'elle était nue. Tu sais, je suis toute nue dans le lit, me dit-elle dans un souffle.

Je ne répondis rien, je demeurai immobile dans la cabine, mais j'imaginais très bien Marie nue sous les draps dans cette chambre d'hôtel surchauffée qui devait puer les fleurs fanées des bouquets dont on la couvrait depuis son arrivée, certains pas encore sortis de leur emballage, posés ici et là, abandonnés sur les chaises et par terre, et le somptueux bouquet d'orchidées qu'elle avait trouvé dans la chambre à notre arrivée et dont elle avait tout de suite retiré la carte de visite pour lire le nom de Yamada Kenji (qu'elle avait aussitôt maudit en pliant la carte en deux entre ses doigts d'un pincement sadique pour le punir de n'être pas venu nous chercher à l'aéroport). L'eau devait croupir dans le vase maintenant, les orchidées rabougries et fanées, des milliers de petites graines pourpres et violettes tombées en pluie sur la moquette, où elles formaient un fin tamis de particules minuscules que Marie devait faire s'envoler dans un éphémère nuage de poussières chaque fois qu'elle les foulait aux pieds.

Je continuais de me taire dans la cabine, et Marie m'expliquait que sa chambre d'hôtel était tantôt surchauffée et tantôt glacée, elle avait depuis longtemps renoncé à comprendre quelque chose au thermostat fantasque qui réglait la température de la pièce, elle s'habillait ou se déshabillait au gré de ses caprices et de ses dérèglements, ajoutant que certaine nuit elle se réveillait en grelottant dans la chambre, le chauffage coupé qu'elle n'arrivait plus à faire repartir, qu'elle ouvrait tous les placards pour sortir des couvertures et des couettes qu'elle jetait en désordre sur le lit, car elle caillait dans la chambre à trois heures du matin, qu'elle devait mettre un pull, une écharpe et des chaussettes avant de se recoucher, et qu'à d'autres moments la chambre était un hammam, elle était obligée de se déshabiller dès qu'elle rentrait, d'entrouvrir son chemisier avant même de poser ses affaires sur la table, prenant une douche et se promenant pieds nus sur la moquette dans le grand peignoir blanc en éponge aux armoiries de l'hôtel, la poitrine bientôt de nouveau lui-sante de sueur, les cuisses et les aisselles moites dans l'air chaud et chargé d'humidité, et toujours impossible d'ouvrir la fenêtre, finissant par ne plus supporter la chaleur et ôtant même le peignoir, pour se retrouver toute nue dans la chambre à tourner en rond comme une folle dans l'atmosphère saturée de cette odeur de fleurs chaudes et d'orchidées mortes. Elle s'approchait de la fenêtre en tirant une bouffée de cigarette dont l'extrémité incandescente rougeoyait dans la pénombre et elle restait là sans bouger à regarder les néons de la ville qui clignotaient devant elle dans la nuit. Nue devant la baie vitrée au seizième étage de l'hôtel, son corps traversé d'intermittentes lueurs rouges et de dramatiques reflets électriques qui zébraient sa peau nue, elle relisait le fax que je lui avais envoyé et s'asseyait à la table pour commencer une lettre, elle se mettait à écrire devant la grande baie vitrée qui dominait la ville, elle m'écrivait quelques mots sur une feuille blanche à en-tête de l'hôtel, elle m'écrivait une lettre d'amour. Je t'ai écrit une lettre, mon amour, me dit-elle.

Je ressortis de la cabine, bouleversé, le cœur serré, infiniment heureux et malheureux. Avec elle, en cinq minutes, je ne savais plus qui j'étais, elle me faisait tourner la tête, elle me prenait la main et me faisait tourner sur moi-même à toute vitesse jusqu'à ce que ma vision du monde se dérègle, mes instruments s'affolent et deviennent inopérants, tous mes repères étaient brouillés, je marchais dans l'air glacé de la nuit et je ne savais pas où j'allais, je regardais l'eau noire briller à la surface du canal et je me sentais happé par des pulsions contradictoires, exacerbées, irrationnelles. Je m'étais assis sur un banc dans l'allée qui longeait les berges, et j'avais sorti l'acide chlor-hydrique de la poche de mon manteau, je regardais pensivement le flacon entre mes mains. Je tentais de résister à la violence des sentiments qui me portaient vers Marie, mais il était trop tard évidemment, son charme avait de nouveau opéré, et je sentais que j'allais encore une fois me laisser entraîner dans la spirale, si ce n'est des déchirements et des dra-mes, de la passion.

Je rentrai à Tokyo le soir même (je repassai prendre mes affaires chez Bernard et lui laissai un mot d'explication en évidence sur la table de la cuisine).

L'air était pur et la nuit claire. Le taxi filait en direction de la gare de Kyoto, sur une longue ligne droite triste sans aucun magasin, qui longeait dans l'obscurité les murailles du Palais impérial. J'étais assis à l'arrière du taxi, mon sac à côté de moi sur la banquette, et je ne pensais à rien. Le taxi me laissa devant la gare à l'entrée des Shinkansen, et j'allai acheter un billet pour Tokyo. Passé les portillons d'accès, je levai la tête vers le tableau des départs, qui affichaient en alternance des renseignements en japonais et en anglais, les caractères électroniques se succédant en fondus enchaînés pour annoncer les numéros des trains et les horaires de départ, et je me rendis compte que j'avais un train dans quatre minutes au quai numéro trois. Je hâtai le pas dans le hall, courus dans les escaliers mécaniques et arrivai sur le quai pratiquement en même temps que le train qui entrait en gare en provenance de Hakata. Le train était bondé, je marchais le long du convoi, et je ne distinguais aucune place libre à l'intérieur en me penchant aux minuscules hublots qui se découpaient dans le fuselage blanc et bombé du Shinkansen. Je continuais à progresser le long du quai vers l'avant du convoi, et, voyant que le quai commençait à se vider, je sentis que le départ était imminent et je sautai en toute hâte dans une voiture. Le train partit, quitta lentement la gare — et, encore debout à la portière, penché à la vitre, je regardai les collines de Kyoto disparaître derrière moi dans la nuit.

Je n'avais trouvé de place assise que dans un compartiment fumeurs, et, au bout de quelques minutes, j'eus un malaise, je transpirais sur mon siège, j'avais mal au cœur, je me sentais barbouillé et nauséeux. Je me levai et me rendis aux toilettes, que je fermai à clé, et, aussitôt, avant même de m'être penché vers la cuvette, je sentis ma poitrine se soulever et être prise par un violent haut-le-cœur. Je crus que j'allais vomir, mais rien ne sortit de ma gorge, si ce n'est un maigre filet de salive, que je contins avec ma langue. Le front en sueur, les membres sans force, je m'accroupis difficilement sur le sol, empêtré dans les pans de mon long manteau gris noir, et restai là, sur le point de m'évanouir, les yeux dans le vague, qui pleuraient involontairement, des larmes se formant aux angles de mes paupières. J'essayais de vomir, mais rien ne venait, et je finis par glisser un doigt au fond de ma gorge pour m'y forcer. Alors, lentement, péniblement, difficilement, je vomis quelques gouttes de bile. C'était extrêmement douloureux, et je me sentais mourir, je sentais la proximité physique et concrète de la mort au contact du métal froid de la cuvette, je sentais mes forces m'abandonner, mais, si mon corps flanchait et était prêt à s'écrouler par terre le long de la cuvette, mon esprit bravait ma déchéance, et, comme un orchestre qui continue de jouer imperturbablement pendant un naufrage, je m'étais mis à fredonner mentalement, très doucement, de façon lente et saccadée, répétitive et absurde, une vieille chanson des Beatles dont je déroulais la mélodie dans un murmure mental déchiré et poignant : « *All you need is love*

— *love* — *love is all you need* », et, sans pouvoir aller plus avant dans la chanson, ma poitrine se soulevait dans un nouveau spasme et quelques gouttes de vomi très aigre giclait dans la cuvette. Mais, loin de renoncer, à genoux dans les toilettes, triomphant mentalement, je continuais à chanter opiniâtrement, mes lèvres s'entrouvraient, affaiblies et pâteuses, et je murmurais d'une voix plaintive et victorieuse au-dessus de la cuvette : « *All you need is love — love — love is all you need* » dans ce train étrangement silencieux qui filait à trois cents kilomètres heures vers Tokyo.

J'arrivai à Tokyo dans la nuit, un peu avant dix heures et demi. Le Shinkansen ralentit à l'approche de la gare, et les quartiers de Shimbashi et de Ginza apparurent lentement aux fenêtres, illuminés de milliers de lumières d'hôtels et de panneaux publicitaires qui clignotaient dans la nuit. En descendant du train, je me mis tout de suite en quête d'un téléphone. Je trouvai un appareil public sur le quai, et j'appelai Marie à l'hôtel. J'entendais mal dans le tumulte de la gare, des gens passaient près de moi, des annonces résonnaient dans les haut-parleurs du quai, je fermais les yeux pour mieux me concentrer et entendre la voix de Marie lorsqu'elle décrocherait, mais les faibles sonneries que j'entendais au loin se succédèrent en vain dans le récepteur, Marie n'était pas à l'hôtel. Je raccrochai pensivement, descendis les escaliers et sortis de la gare. Je marchai quelque peu au hasard dans les rues de Tokyo, finis par héler un taxi. Il s'arrêta quelques mètres plus loin en bordure du trottoir, je vis la porte s'ouvrir automatiquement à mon intention. Je pressai le pas, et montai dans la voiture, pris place sur la banquette arrière. Shinagawa, dis-je, *Contemporary Art Space* de Shinagawa.

Le taxi m'avait laissé sur le parking de l'hôtel à proximité du musée, on ne pouvait aller plus loin en voiture. La nuit était claire, il y avait un fin croissant de lune dans le ciel, et je suivais l'allée boisée qui descendait vers le lac en direction de l'entrée principale du musée. Je sonnai à la porte d'entrée. Tout était sombre, il n'y avait pas de lumière dans l'allée, ni d'enseigne au portail, seuls ressortaient de l'obscurité les deux points rouges des caméras de surveillance dont on apercevait le profil d'ombre sur des bras articulés. J'entendis un grésillement dans l'interphone, puis une voix japonaise un peu brouillée qui semblait poser une question. Je ne répondis pas et m'avançai simplement dans la pénombre pour mettre mon visage en évidence dans le champ d'une des caméras. Au bout de quelques minutes, lentement, le portail s'entrouvrit et un jeune homme apparut, qui tenait la poignée. Je ne lui laissai pas le temps de m'interroger, d'hésiter ou de tergiverser, je passai la porte, je forçai le passage et entrai dans l'enceinte du musée, ma carrure était impressionnante dans mon grand manteau gris noir, j'avais une démarche volontaire et je marchais vite d'un pas décidé à travers les pelouses en direction du bâtiment, j'entendis le jeune homme refermer la porte précipitamment et me suivre dans l'allée en m'expliquant que le musée était fermé (*it is closed, it is closed,* répétait-il d'une voix altérée).

J'allai tout droit dans la salle de contrôle, où j'avais vu Marie pour la dernière fois il y a quelques jours. Les écrans étaient uniformément noirs à présent, avec la même allure hypnotique de monochromes tremblotants, qui, peu à peu, à mesure qu'on les regardait, laissaient apparaître des détails, des formes et des contours dans les salles d'exposition du musée. Là où, la dernière fois, il n'y avait que le vide des murs blancs et des espaces d'exposition déserts, se devinaient à présent les contours de l'exposition de Marie, on apercevait des photos sur les murs, des profils d'œuvres dans les salles. Je me tenais debout devant les écrans à essayer de distinguer les pièces exposées et à les reconnaître, quand, soudain, mon œil fut attiré par une forme qui se déplaçait sur un des écrans de la rangée supérieure, forme qui traversait le champ brouillé et neigeux du moniteur et se dirigeait vers moi à grands pas. La forme se dépouilla presque aussitôt de sa virtualité électronique et apparut en réalité de chair au seuil de la salle de contrôle, c'était le jeune homme qui m'avait ouvert la porte du musée. Il m'observa un moment à distance sans bouger, d'un air à la fois timide, mauvais et soupçonneux, et je sentais qu'il allait se passer quelque chose, je sentais que son calme n'était qu'apparent, qu'il allait entrer dans la pièce pour m'empoigner et me forcer à quitter les lieux, et, au moment où je le vis bouger, où je le vis faire le premier pas, je sortis brusquement le flacon d'acide chlorhydrique de la poche de mon manteau, et le brandis devant lui pour le tenir à distance. J'étais calme, mon regard était fixe et dur. Il s'arrêta, ne paraissant pas bien comprendre ce que je lui voulais et ce que j'avais à la main. Je dévissai le bouchon du flacon les doigts tremblants, et, aussitôt, dans un assaut de fumée et de vapeurs délétères qui sortaient de la fiole, mes yeux se mirent à brûler et mes muqueuses à piquer. Je tenais le flacon à la main, loin de moi, de son odeur âcre et de ses vapeurs corrosives, et le type était devenu très pâle, et s'était mis à tousser, la gorge et la langue irritées par l'acide, et reculait à petits pas sans cesser de me faire face, les bras relevés comme en bouclier devant le corps, qui me souriait maintenant, étrangement, comme pour me dire que tout allait bien, que je pouvais rester, que c'est lui qui partait.

Je quittai la salle de contrôle et entrai dans les salles d'exposition, le flacon à la main.

175

J'avançais dans le noir du musée, les yeux hallucinés, je me promenais dans l'exposition de Marie, le flacon d'acide chlorhydrique ouvert à la main que je tenais devant moi comme une bougie, le plus loin possible de ma bouche et de mon nez pour ne pas me brûler les voies respiratoires, j'avançais lentement dans les ténèbres des salles entre les œuvres de Marie accrochées aux cimaises, promenant l'incandescence de ma bougie devant leurs surfaces silencieuses comme pour les illuminer et en éclairer le sens, des photos de très grand format, quatre mètres sur six, qui représentaient des visages en très gros plans, parfois le visage de Marie, des détails agrandis du visage de Marie. Je passais entre des mannequins entortillés de néons éteints et de fils électriques qui avaient formes humaines dans le noir, je voyais des ombres et des profils immobiles dans des attitudes de défiance, debout sur des socles de métal, parfois un bras levé, comme des statues pétrifiées. Mes yeux brillaient d'un éclat de vif-argent, et je les écarquillais pour percer l'obscurité, je passais de salle d'exposition en salle d'exposition, ma pauvre bougie impuissante à la main, et je sentais l'âme de Marie m'accompagner dans le musée, je la sentais près de moi, je sentais sa présence. C'est alors que j'entendis des pas dans la salle voisine. Je ne voyais rien, ma pauvre bougie n'éclairait absolument rien, j'étais tout au fond du musée, et seul un très faible rayon de lune entrait par le toit qui jetait une lueur blanchâtre sur le sol de la salle voisine. J'avais peur. J'entendais les pas se rapprocher. Marie, dis-je.

Marie était là. Ce ne fut pas à proprement parler une hallucination, car la scène eut lieu en dehors de toute représentation visuelle, mais dans un registre purement mental, dans un éclair fugitif de la conscience, comme si j'appréhendais la scène d'un seul coup sans en développer aucune des composantes potentielles, de fulgurance du bras et de forme fuyante et tombant sur le sol, d'affreuses odeurs de fumées et de chairs brûlées, de cris et de bruit de fuite éperdue sur le parquet du musée, scène qui restait en quelque sorte prisonnière de la gangue d'indécidabilité des infinies possibilités de l'art et de la vie, mais qui, de simple éventualité — même si c'était la pire — pouvait devenir la réalité d'un instant à l'autre. Marie, dis-je à voix basse, Marie. Je tremblais légèrement. J'avais peur. Je fis un pas en avant. Il n'y avait personne. Je voulus refermer le flacon d'acide chlorhydrique, mais je ne trouvais pas le bouchon, mes doigts continuaient de trembler, et je fis demi-tour, je retournai vers la lumière. La lumière avait été allumée dans le hall d'entrée du musée, une lumière blanche et franche de plafonnier. Je vis passer la silhouette du jeune homme qui alla se réfugier derrière une paroi, où il se tint immobile, à me guetter. Je passai à côté de lui sans un regard, et quittai le musée, m'éloignai à grands pas dans la nuit. Je suivais en courant le chemin qui descendait vers le lac dans l'air glacé de la nuit qui me fouettait les joues. Au loin, à travers les détours du sentier, j'apercevais la surface légèrement ridée du point d'eau immobile faiblement éclairé par la lune. J'avais toujours le flacon d'acide chlorhydrique à la main, et je ne savais où aller. Je regardais autour de moi, cherchais des yeux un endroit où me réfugier. Je quittai le chemin et fis quelques pas dans les sous-bois ocellés de lumière de lune, baissant la tête pour éviter les branches, passant prudemment entre les grosses racines grisâtres des arbres pour ne pas trébucher. Je me retournai encore une fois vers l'entrée du musée, dont le portail métallique était resté ouvert, et je vis le jeune homme sortir accompagné de deux personnes en uniforme. Je m'arrêtai contre un arbre et je retins mon souffle. Je ne bougeais plus. Il y avait là près de moi, dans l'ombre, fragile, minuscule, une toute petite fleur isolée dans la terre. Je la regardais, la lumière de la lune l'éclairait doucement et faisait luire ses pétales blancs et mauves de reflets pâles et délicats. Je ne savais pas ce que c'était comme fleur, une fleur sauvage, une violette, une pensée, et, sans faire un pas de plus, las, brisé, épuisé, pour en finir, je vidai le flacon d'acide chlorhydrique sur la fleur, qui se contracta d'un coup, se rétracta, se recroquevilla dans un nuage de fumée et une odeur épouvantable. Il ne restait plus rien, qu'un cratère qui fumait dans la faible lumière du clair de lune, et le sentiment d'avoir été à l'origine de ce désastre infinitésimal.

CET OUVRAGE A ÉTÉ ACHEVÉ D'IMPRIMER
LE DOUZE JUIN DEUX MILLE DEUX DANS
LES ATELIERS DE NORMANDIE ROTO IMPRES-
SION S.A.S. À LONRAI (61250) (FRANCE)
N° D'ÉDITEUR : 3720
N° D'IMPRIMEUR : 020816

Dépôt légal : septembre 2002